‘Verdonschot toont zich opnieuw een rasverteller met rock ’n rollbloed van het puurste soort.’ – *Oor*

‘Bijzonder geestig. Een moderne schelmenroman.’ – *8weekly.nl*

‘Te mooi om waar te zijn.’ – *Cosmopolitan*

‘Zeer vermakelijk.’ – *het Parool*

‘Goed en gretig proza.’ – *de Volkskrant*

‘Hilarisch ontroerend.’ – *Veronica Magazine*

Leon Verdonschot

Denvis

EEN ROCKROMAN

2009
Uitgeverij Thomas Rap

For the ones who had a notion
A notion deep inside
That it ain't no sin
to be glad you're alive

(Bruce Springsteen – 'Badlands')

Dit is een roman, op basis van het leven van Denvis. Omdat het een roman is zijn overeenkomsten met de werkelijkheid toeval. Zelfs al zijn het er behoorlijk veel.

1

500 euro, één nummer.

500 euro, een ticket en overnachting. Eén nummer.

Och. Hij heeft voor slechtere gages veel meer nummers gezongen, dus waarom niet?

Hooguit vanwege de door de organisatoren gewenste kleding. Geen.

Maar ook hier geldt: hij heeft voor veel minder geld zijn lul uit zijn broek gehaald op het podium, en daarbuiten.

Het wordt de honderdste editie van Karaoke from Hell, het wekelijkse feest in de Club Mascotte, de belangrijkste club van Zürich, waarbij een band rocknummers speelt en het publiek ze mag zingen. Al twee jaar staan iedere dinsdagavond een paar honderd mensen in de zaal die mogen kiezen uit meer dan honderd nummers, maar dat niet doen.

Mensen willen altijd meer van hetzelfde, tijdens een karaoke-avond is dat niet anders.

Steeds – op Schiphol bij de bagageband, bij het instappen in de taxi, bij het uitstappen, zojuist, toen hij de zaal binnenliep – heeft hij het gevoel dat hij zijn gitaarkoffer is vergeten. Het voelt raar, reizen voor een show zonder instrument.

Hij loopt de trap op, langs de garderobe, de zaal in. Die ziet er anders uit dan normaal. Meer aangekleed, vooral. Er hangt een grote *banner* met vlammen achter het podium. Naast het podium staat een rond gevaarte met een zwarte doek eroverheen. Hij tilt het doek op.

Dat is hem. De taart. Op de deksel zitten plastic namaakkaarsjes. Denvis haalt de deksel eraf. Aan de binnenkant zit een peertje. Hij kijkt de taart in en vraagt zich af of hij hier werkelijk in past. Tien jaar geleden zeker. Maar tien jaar geleden, dat was ook vijfentwintig kilo geleden.

500 euro, één nummer. 'I got Erection' van Turbonegro. Het moet het hoogtepunt worden van het festival, hebben de organisatoren bedacht. Op het laatste moment bedacht, want ze waren er maar niet uitgekomen: wat te doen met die honderdste editie? Dat krijg je wanneer je te vaak feestjes houdt: op een dag heb je geen verrassingen meer over. Stripdanseressen hadden ze al gehad, burlesque-avonden, gogogirls. Ze waren er wel doorheen, het repertoire aan rock-'n-rolldingen die je met vrouwen kunt doen.

En toen was er opeens dit idee. Wel een verjaardagstaart, wel een stripper erin, maar geen vrouw.

Het is meer dan alleen het tegenovergestelde doen van wat het publiek verwacht: de rechtvaardiging van de komst van Denvis is het lijf van Denvis zelf, het lichaam zonder mate, waaraan alles groot is. Dat deksel zal openklappen, zo zien de organisatoren het voor zich, en dan zal Denvis eruit springen, naakt, met een erectie als een vlaggenmast. Hij zal het nummer loeien als een alarm, en alle aanwezigen zullen eerst joelen van de verrassing, vervolgens gillen vanwege die lichamelijke uitbeelding van de volledige thematiek – vorm en inhoud samengebald in een lul: hoe rock 'n roll is dat wel niet? – en tot slot zal iedereen meebrullen, als een liederlijke ode aan de lust. Een hoogmis van testosteron, dat zal het worden.

Los van het geld en ongetwijfeld de lol, in het ergste geval niet bij het publiek maar dan zeker bij hem zelf, is deze reis voor Denvis vooral een investering, heeft hij aan iedereen verteld die het wat veel gedoe en gereis voor één nummer vindt. Over twee maanden komt hij hier terug voor een tournee. Hij heeft een pak flyers en een stapel posters meegenomen.

Sommige mensen kunnen alles verkopen, behalve zichzelf. Denvis kan alles verkopen, maar vooral zichzelf.

Hij heeft gezegd dat ze van zijn aanwezigheid een persdag moeten maken. Journalisten die hem willen interviewen, kunnen dat vandaag doen; dan kunnen ze het verhaal plaatsen net voor hij terugkomt voor zijn tour.

De organisatoren reageerden een beetje lacherig, dat ze hun best zouden doen om wat bevriende journalisten enthousiast te maken. Hij heeft geantwoord met de hem toevertrouwde lachende boosheid; de boosheid die bij problemen achteraf altijd, met een verwijzing naar die lach, tot een grapje kan worden teruggepraat, maar waarmee hij ondertussen mooi zijn punt heeft gemaakt en – belangrijker – anderen aan het werk gezet. Hij heeft ze voorgedaan hoe ze die journalisten enthousiast moeten krijgen en iemand nagedaan die naar de redactie belt om te vertellen dat een rockster uit Nederland naar Zwitserland komt voor een spectaculair verrassingsoptreden, dat die rockster in Nederland al jaren goed is voor het ene spraakmakende verhaal na het andere, en dat die nu bij wijze van hoge uitzondering genegen is tot een – en let op, dat woord moeten ze gebruiken, daar zijn journalisten gevoelig voor – éxclusief interview.

En verdomd, het is gelukt. Er komen vandaag twee en misschien drie journalisten langs.

Over een uur zal de eerste er al zijn, een journalist van een fanzine. En dan om een uur of vijf de volgende, een meisje dat werkt voor een of ander blog, en vlak voor of vlak na de show nog een journalist, die behoorlijk scherp schijnt te zijn en werkt voor een lokale krant – áls die komt, want hij schijnt geregeld niet te komen opdagen. Doet hij dat wel, is hij vaak zo bezopen dat geen geïnterviewde de illusie heeft dat zijn antwoorden uit de verf zullen komen, vooral omdat hij ze meeschrijft noch opneemt. Het maakt overigens niet uit: er komt altijd een verhaal, met antwoorden waarvan de geïnterviewde zich vaag herinnert dat ze al in de vraag waren verwerkt, of die hij inderdaad ooit gegeven heeft, al meent hij toch zeker te weten dat dat al een tijd geleden was, ergens anders, in gesprek met iemand anders.

Och ja. Googlejournalistiek is ook publiciteit. Drie verhalen over hem in de Zwitserse pers: dat kan hij straks terug in Nederland met recht een hype noemen.

2

Honger, dat heeft hij. Vlak bij de Mascotte is een pizzeria. Denvis loopt de zaal uit om te kijken of die al open is. In de spiegel kijkt hij naar zijn wapperende haar. Hij wil weer het kapsel dat hij ooit had, van dat lange, golvende haar. Het verschil is dat er toen nog veel haar op zijn hoofd zat. Maar dit kan nog net, vindt hij. Veel achter leidt af van weinig voor, zo werkt dat.

De vorige keer was hij er voor aanvang van Karaoke from Hell gaan eten met een muzikant die klaarblijkelijk nooit in een restaurant komt, behalve dan in deze pizzeria. Die noemde de pizzeria 'culinair'. Dat valt volgens Denvis wel mee, tenzij het tegenwoordig culinair is om bij de pasta friet te serveren, met drie plastic zakjes ketchup erbij. Tijdens het gesprek met de muzikant liet Denvis per ongeluk zijn mes op de grond vallen. Er kwam toevallig net een ober voorbij. Die raapte het op en gaf Denvis een nieuw mes. 'Dat bedoel ik,' zei de muzikant. 'Dat doen ze hier gewoon.'

De deur is open. Denvis loopt naar binnen. De radio staat hard. Hij hoort een man zingen dat hij er over moet slapen en je morgen het antwoord geeft.

Dat is lang geleden. Meat Loaf. Denvis moet erom lachen, de herinnering aan zijn zangdebuut.

Het was tijdens de bonte avond in buurtcentrum Het Patronaat in Mierlo. Omdat hij het best goed deed bij zangkoor Feeling Free mocht hij die avond solo zingen. Zingen kon hij, vooral omdat hij het durfde. De meeste mensen zingen niet, ze murmelen, alsof ze bang zijn te worden gehoord. Daar had Denvis geen last van, dus mocht hij tijdens het soundmixgedeelte van de avond het langste nummer zingen: 'Paradise by the Dashboardlight'.

Om meer op Meat Loaf te lijken kreeg hij een kussen, onder zijn witte fröbelblouse met pofmouwen. Ergens in zijn achterhoofd wist Denvis wel dat Herman Brood, de maat der dingen, zo'n blouse nooit zou dragen, om over het kussen nog maar te zwijgen. Hij besloot het kussen te beschouwen als noodzakelijk onderdeel van de route richting Brood-status.

Het publiek bestond uit koffiedrinkende mensen op stoelen.

Soundmixen bleek die avond een rekbaar begrip. De versie van 'Paradise by the Dashboardlight' waar Denvis en zijn Ellen Foley overheen moesten zingen, was niet de instrumentale, maar de gewone. Het was moeilijk opboksen tegen de stem van Meat Loaf zelf. 'Gewoon harder zingen,' moedigde iemand van de organisatie Denvis aan. Monitoren waren er niet, zodat Denvis zelf niet hoorde hoe hysterisch overstuur zijn 'And it's cold and lonely in the deep-dark-night' klonk. Dat hoorde hij meteen na afloop van zijn vriend Joost, die ook aanwezig was. Joost zei: 'Dat sloeg nergens op.' Hij keek meewarig naar Denvis' kussenbuik. 'Echt nergens, man.'

Feeling Free had een koorlid minder.

Denvis' zoektocht naar een hobby had hem eerst langs de sport geleid. Zijn ouders hadden het niet breed, dus geld om van alles uit te proberen was er niet. Denvis had klasgenoten met kasten vol vrijwel ongebruikte judopakken en onaangeraakte instrumenten. Sommige kinderen mochten werkelijk van alles proeven, om uiteindelijk niks te vreten.

Gejudood had hij toevallig dan wel en hij vond er niks aan. Wie praatte tijdens de les, kreeg strafworpen. Het grootste deel van Denvis' lessen bestond uit strafworpen. De leraar was niet alleen zo dom maar ook zo sterk als een os, al leek hij dat laatste vanwege dat eerste zelf niet door te hebben. Hij smeet met Denvis als een vuilnisman met een vuilniszak. Denvis dacht na een paar weken dat judo Japans was voor 'gooien'.

Een sportman was hij niet. Alleen zwemmen vond hij leuk, maar met oren vol buisjes was hij veroordeeld tot het pierenbadje van waaruit hij nog net kon zien hoe kinderen met normale oren van de hoge doken. De sportieve inhaalslag had hij pas op zijn veertiende gemaakt, toen hij leerde reddingszwemmen. Hij liep trots rond in zijn zwembroek met de opgenaaide badges van diploma 'A' en 'F' erop.

Na de sport kwam de muziek, die volgens Denvis serieus begon met de bongo, toen hij op een festival Blind Eye zag, een band uit de buurt met een zanger die trommelde op de bongo. Toen de hoofdpersoon uit de *Donald Duck* op een dag Blote Poten Peter heette en koning der bongospelers bleek, lag Denvis' toekomst vast. Van zijn zakgeld kocht hij in Helmond twee trommels, voor 95 gulden.

Hij oefende veel, vond hij zelf, maar klinken deed het niet.

Denvis' ouders zeiden dat hij er waarschijnlijk het geduld niet voor had.

Geduld is soms het vriendelijke alternatief voor talent.

Ze herinnerden zich zijn carrière bij de harmonie nog en ook die was vooral kortstondig. Denvis bleef erbij dat ze hem meer hadden moeten stimuleren, dan was die carrière wellicht langduriger geworden. Daar gingen zijn ouders maar niet op in.

Na de bongo kwam de bas, want wat Hennie Vrienten kon, moest Denvis ook kunnen. Bovendien, Hennie Vrienten had altijd tijd over om tijdens het bassen van die schokkerige bewegingen met zijn schouders te maken en te zingen met die aanstellerige snik van 'm, dus hoe moeilijk kon zo'n bas zijn?

Te moeilijk, vond hij al snel.

Vervolgens ging hij zingen. Hij vond Feeling Free aanvankelijk erg leuk, juist omdat ze niet in kerken optraden. En omdat ze nummers zongen van zowel de Carpenters als de Beatles, maar ook van Up With People, een groep zo blij dat het wel christenen moesten zijn – maar dat waren ze officieel niet, op zichzelf al bijna een wonder van religieuze proporties.

Het waren heerlijke nummers om te zingen. Ze waren opgebouwd uit niets dan enthousiasme en blijmoedigheid, dus inhouden of doseren hoefde geen moment. 'Up with people! You meet them where ever you go!'

Ze droegen mooie pakken en traden op tot in Duitsland en Frankrijk, en soms ook in de Efteling, waar alle leden na het optreden mochten blijven. Ze gingen in een paar attracties en rookten de rest van de dag stiekem sigaretten of joints.

Hij leerde er ook vingeren, bij Feeling Free.

Andere seksdingen kon hij al. Soms al lang. Toen hij vier was, rolde hij onder de tafel om over de vloer te wrijven. Soms zeiden familieleden er iets van tegen zijn moeder. Dat Denvis onder tafel lag te rijden. Dan nam zijn moeder het voor hem op. 'Als hij dat toch lekker vindt!'

Als hij in bed lag, tekende hij in de lucht met zijn vingers kutjes en meisjeskontjes, en daar trok hij zich op af. Hij liet zijn piemel zien aan vriendjes, tekende er gezichtjes op en gaf hem een naam: ome Jan. Toen hij tien was richtte hij samen met een jongen uit zijn klas en twee meisjes een seksclub op. Hij leerde meisjes in zijn klas hoe ze moesten tongzoenen. Een paar wilden het wel van hem leren. Hij leerde ze dat ze hun adem moesten inhouden zo lang als ze konden, en dat ze dan met hun tong in de mond van de jongen moesten rondroeren en die jongen bij hen, en dat ze moesten ophouden als ze dachten dat ze gingen stikken. Met de meisjes ging hij ook naakt op elkaar liggen, om de beurt maar wel allebei op de buik, anders kwamen er kindjes van. Lang bestond de seksclub niet, want het tentje op een braakliggend terrein achter het huis van Linda van Lieshout, waar ze de clubbijeenkomsten hielden, was vergeven van de brandnetels. Toen Linda daar een keer per ongeluk in ging liggen en thuiskwam met billen vol rode blaasjes, wilde haar moeder weten hoe dat kwam.

Dat gaf nog een heel gedoe.

Bij Feeling Free leerde hij zelfs twee meisjes tegelijk te vingeren. Het gebeurde op kamp, toen alle leden samen op een grote zaal lagen, de bedden tegen elkaar. Denvis lag tussen twee meisjes in.

Een van de twee leek wat minder enthousiast dan de ander, dus al snel concentreerde Denvis zich op het meisje aan zijn rechtervingers. Die aan zijn linker ging zich er een dag later alsnog over beklagen. Preuts met vertraging; Denvis vond het een truttendaad. Maar de grootste lol had ze hem al geschonken: het ruiken aan zijn beide handen tegelijk, het ruiken van twee verschillende kutjes. Daar ging het hem toen vooral om, de geur, en dat zou zo blijven. Hij kon geen wasmand voorbijlopen zonder er even in te ruiken. Sommige meisjes trokken zich eerst terug op de badkamer als ze voorzagen dat er seks naderde. Dan hoorde je een geiser aanslaan, een paar minuten lang een kraan lopen en kwamen ze de badkamer weer uit met een kutje dat rook naar niks, of naar zeep. Sommige mannen vonden dat prettig, maar Denvis was niet een van die mannen. Hij had niet veel principes, maar dit was er een: een kut hoort te ruiken naar kut.

Het houten klapdeurtje van de keuken zwaait open en een man met een wit schort loopt de pizzeria in. Hij kijkt Denvis vragend aan, alsof hij geen vermoeden heeft wat iemand die een pizzeria bezoekt van de kok zou willen.

Denvis vraagt of ze al open zijn. De man schudt van nee, en nadat zijn hoofd drie keer links en rechts heeft gedraaid, zegt hij het ook hardop: 'Nee.'

Denvis loopt naar buiten en hoort achter hem Meat Loaf zingen: dat het lang geleden en ver weg was, en zo veel beter dan tegenwoordig.

3

De kleedkamer van de Mascotte is zo onwaarschijnlijk netjes dat Denvis elke keer denkt dat het de volgende keer afgelopen zal zijn. Dan zal het leer van de grote banken er uitzien alsof er ook wel eens mensen op liggen, en anders zullen die bruine muren of de designtafel beklad zijn met namen van bands, zal er minstens een barst zitten in het hippe glazen Red Bull-koelkastje of in dat andere van Carlsberg, zal de grond zo plakken dat bij iedere stap je voet even blijft hangen, of zal die doorzichtige bak waar de wc-borstel in staat overlopen van troebel water waar bruine stukjes in drijven. Dan zal die kleedkamer van de Mascotte er, kortom, uitzien als de kleedkamer van een club.

Een ordentelijke kleedkamer, dat is niet houdbaar.

Behalve kennelijk hier, in Zwitserland, het land der opgeruimden en opruimers, waar ze je op straat altijd vriendelijk groeten, maar waar je altijd het idee houdt dat het een vriendelijkheid uit angst is – zeg maar hallo, dan laat hij me verder met rust.

‘Hello? Hello?’ hoort Denvis vanuit de gang.

‘Yeah, here,’ roept hij terug.

Een jongen loopt de kleedkamer binnen. Hij draagt blauwe All Stars, een donkerblauwe spijkerbroek en een zwart shirt van de Ramones. Hij stelt zich voor met zijn naam en die van het fanzine waar hij voor schrijft, maar Denvis is ze alweer vergeten wanneer hij ze heeft uitgesproken. Denvis zegt: ‘Ik eet even dit broodje op.’

De popjournalist zegt dat hij dat prima vindt. Falafel? Denvis knikt bevestigend terwijl hij een hap neemt, en tegelijk met zijn duim de knoflooksaus terug zijn rechtermondhoek in leidt.

Hij zegt dat hij het interview opneemt als Denvis dat goed vindt en haalt een mp3-speler uit zijn tas. Die legt hij op tafel, naast zijn briefje met vragen in het haastige handschrift als van een huisarts. In de bus hierheen waarschijnlijk snel opgesteld, denkt Denvis, terwijl de jongen zijn mp3-speler van tafel pakt en hem van dichtbij bekijkt met een blik die geen voorkeur voor technische vakken doet vermoeden. Deze jongen kan nog geen autoband verwisselen, dat ziet Denvis zo. Niet dat het veel uitmaakt: hij heeft vast geen rijbewijs. Hij zegt: ‘Even testen of-ie het doet. Dat had ik eigenlijk thuis moeten doen. Maar ja.’

Maar ja. Het zijn de twee woorden waarmee sommige mensen van hun eigen falen een onontkoombare natuurwet proberen te maken.

Maar ja. Zo ben ik nou eenmaal.

Maar ja. Zo gaan die dingen.

Maar ja. Wat doe je eraan?

Hij voegt eraan toe: 'En ik moet het wel opnemen, natuurlijk. Zonder opname geen verhaal.'

Denvis zegt: 'Dat valt wel mee, hoor. Ik heb journalisten gesproken die al mijn antwoorden verzonnen. Maar goed. Ik heb zelf ook heel veel verzonnen antwoorden gegeven.'

Hij vertelt over de hoes van de eerste Spades-cd, met vijf negers erop. In de persbio stond het nog een keer, dat de band uit alleen maar negers bestond, echte rocknegers, negers van staal, en toen iedereen het bleek te geloven was er geen weg meer terug. Met Nederlandse journalisten moesten Denvis en gitarist Richard enigszins voorzichtig zijn, die wantrouwden een band uit eigen land die nergens naartoe wilde komen om een interview te geven en die ook niemand wenste te ontvangen. Maar met name Amerikanen kon je alles wijsmaken. Dus vertelden Richard en Denvis in interviews dat ze samen waren opgegroeid op het Nederlandse koloniale eiland Awabumbu.

Soms was er een die vroeg: 'What?' Of zelfs hoe je het spelde. Maar, had Denvis al na twee keer door, als je het vlug genoeg uitsprak, waren ze al snel bang door te gaan voor een typische, niet in de rest van de wereld geïnteresseerde überYank, dus dachten ze waarschijnlijk dat ze het eiland wel even konden googelen – om vervolgens weer een vraag te stellen over de mate waarin Denvis en Richard zin hadden om naar de VS te komen.

E-norm veel, next question!

De enkeling die doorvroeg, kreeg op geïrriteerde toon te horen dat Awabumbu tussen Afrika en India lag – waar anders?

Het duurde een paar maanden voor het uitkwam. De meeste mensen konden er wel om lachen. Een medewerker van de platenmaatschappij in Engeland was echter zo boos dat hij nietsvermoedend aan journalisten en promoters leugens had verkocht, dat hij weigerde ooit nog iets voor The Spades te doen. Hij voelde zich genaaid, had hij gezegd. Een Britse boeker annuleerde de hele tournee. Boze negers had hij besteld, witte boeren kon hij in eigen land genoeg krijgen.

De journalist lachte. En vroeg of dit Denvis' eerste optreden voor Karaoke from Hell zou zijn.

Denvis zei dat hij er al een keer of vier had opgetreden. Sterker nog: hij had de vorige feesteditie gepresenteerd. Die in de Schweizerhof in Luzern. De jongen keek hem vragend aan.

'Je kent de Schweizerhof toch wel?' zei Denvis.

'Jawel. Natuurlijk! Maar is daar ooit een Karaoke from Hell geweest?'

'Ja. Een van de vetste ooit. En ik presenteerde hem.'

Het mooiste vond hij zelf nog steeds dat hij die middag, nota bene lopend naar het hotel over een boulevard vol Breitling- en Omega-uithangborden, de organisatoren had gebeld om te vragen waar hij eigenlijk overnachtte na de Karaoke in de Schweizerhof. Bij iemand thuis, of hadden ze een motel of herberg voor hem geregeld?

De organisatoren hadden gelachen. Was hij al in de buurt van de Schweizerhof?

Sterker nog, zei hij, hij stond er nu voor, hij keek er recht tegen aan.

Nou, zeiden ze, dan sta je nu voor je hotel van vannacht.

Toen hij de deur van zijn balkon opengooide, keek hij uit over de Luzern See, een enorm meer dat gevuld leek met bronwater uit Evianflesjes. Er zwommen witte zwanen in. Achter het meer zag hij de bossen liggen, en daarachter de bergen, met groene heuvels en witte bergtoppen. Het leek wel een chocoladereclame. En hij voelde zich een sjeik. Sjeik Denvis, van het oliestaatje Mierlo.

Hij keek naar beneden. Rondvaartboten meerden aan. Er was een Bentley voor het hotel geparkeerd, een BMW 745, een Jaguar XJ, nieuw model. Langs de straat stonden palmbomen geplant. Staand op zijn balkon belde hij iedereen die hij in de omgeving van Zürich kende om te zeggen dat ze vanavond, als ze dat nog niet van plan waren, echt moesten komen, en dat ze hier konden blijven slapen – hij keek zijn kamer rond – allemaal.

Hij liep door de gang – het was zo'n gang waarin je als vanzelf gaat fluisteren. Er stonden bloemstukken die iemand met zichtbare moeite had geschikt. Schoonmakers namen de hele dag stof af dat er niet lag. Hij nam de lift naar beneden. Er was een bankje in, bekleed met velours. Op het terras ging hij aan een tafeltje zitten. De ober excuseerde zich voor de asbak, waar een sigaar in lag. Hij haalde hem weg en overhandigde Denvis de kaart. Daar stond op dat ze hun eigen brood hadden: de Schweizerhof Baguette, 'wheat and brown bread with sunflower- and pumpkin seeds'.

Eronder stond: 'Bünderfleisch ODER Rohschinken / Air-curred meat from the Grisons OR air-cured ham / Viande séchée des risons OU jambon cru'.

Denvis liep de Grosser Speisesaal in waar die avond het festival zou plaatsvinden. Als al dat marmer niet echt zou zijn geweest en de zaal niet al sinds 1865 zou bestaan, had die iets kitscherigs kunnen hebben. Nu was het een zaal die nederigheid opriep, een ruimte om in stil te vallen. Pas toen hij uren later vanaf zijn balkon de rijen – nee, het was meer dan dat, het was een menigte – voor de deur zag staan, geloofde hij echt dat de rock 'n roll die avond de neorenaissance zou binnendringen.

Twee uur later sprak hij ze toe: 'Are you ready for some true heavy metal thunder?'

Ze brulden van ja, staand op het donkerhouten parket en onder de gigantische kroonluchters.

'Are you ready for the one karaoke that won't judge you?'

Dat waren ze. 'But Satan will! Luzern, are you ready for the karaoke from hell?'

Gejuich, en de band tikte af met 'Breaking the Law' van Judas Priest.

Toen hij klaar was met zingen, gaf hij de microfoon aan de eerste gastzanger van vanavond. Dat ging meteen mis. De jongen stond strak van de coke en had kennelijk besloten dat hij niet alleen zou zingen, maar ook een act moest hebben.

Iets destructiefs.

Hij kwam op en schopte het lcd-scherm waar de teksten op stonden omver. De tv viel van het podium en deed niks meer. Er moest meteen een nieuwe televisie van een hotelkamer worden gehaald.

De jongen werd de zaal uit gezet. Hij riep nog dat hij het zo niet bedoeld had, maar zei niet hoe dan wel.

4

'De organisatoren zeiden dat je ook in de filmindustrie werkt,' zegt de popjournalist, terwijl hij ondertussen voor de zevende keer controleert of zijn mp3-speler wel echt opneemt. 'Als acteur?'

'Nee,' zegt Denvis. 'Als regisseur.'

'Ik wil ook de filmwereld in. Hebben jullie daar in Nederland speciale opleidingen voor?'

'Om regisseur te worden, bedoel je?' vraagt Denvis. 'Ja, de filmacademie. Voor acteurs trouwens ook. Die wilde ik eerst doen. Maar daar wilden ze mij niet.'

Denvis realiseert zich dat hij, terwijl hij dit zegt, kijkt en klinkt alsof hij daar nog steeds boos over is. En eigenlijk is dat ook zo. Achttien was hij pas; ze hadden hem zo veel kunnen leren. Daarvoor ging je toch naar school, om iets te leren wat je nog niet kon? Bij de toneelschool keken ze daar kennelijk anders tegen aan, daar leken ze te vinden dat je naar hun school mocht omdat je iets al kon.

Een blokje ijs moest hij nadoen. Denvis probeerde zich al rillend in een denkbeeldig vierkant te wringen terwijl hij herhaaldelijk 'Koud, hè' zei. Dat vonden ze iets te veel voor de hand liggen. Hij vond hen op zijn beurt maar een stelletje zemeleters, die docenten, weeïge wijven die maar bleven zeggen dat je de ruimte 'met je moest meenemen'. Denvis had het idee dat hij dat al deed vanaf het moment dat hij kon lopen.

Op een podium vond hij het heerlijk wanneer iedereen naar hem keek. Hoe meer mensen, hoe liever. Op het podium was hij heer en meester, had hij zijn houding, zijn bluf, zijn poses. Hier keken ze ook naar hem, maar hier vond hij het verschrikkelijk. Blijkbaar ging het er niet om hoeveel mensen naar hem keken, maar hoe, en welke mensen.

Tijdens de drie auditiedagen ontmoette hij nogal wat studenten die al op de toneelschool zaten. Ze waren erg met zichzelf bezig. Daar waren ze zelfs heel goed in, met zichzelf bezig zijn. Denvis vond ze fascinerend, maar vooral eng.

Op hun school werd hij niet toegelaten. Toen hij dat hoorde, zei hij tegen zichzelf en alle anderen: 'Ik ben nog hartstikke jong. En ik ga toch naar India.'

Hij wist zelf niet waarom hij dat zei, dat van India, hij wist werkelijk niets van dat land, alleen dat Ghandi er vandaan kwam, maar hij had bijvoorbeeld geen idee waar het lag, of welke taal ze er spraken. Waarschijnlijk Indiaas. Het klonk niettemin wel goed. 'Lullig voor je, man.'

'Ah, het maakt me eigenlijk niet uit. Ik ga toch naar India.'

Het was eruit voor hij het wist, en vervolgens had hij het een paar keer herhaald voor hij er verder over had nagedacht. Zo ging dat vaak met uitspraken; je deed ze, en uiteindelijk ging je er soms naar leven en klopten ze achteraf ook nog.

Kort na Maastricht probeerde hij de toneelschool in Eindhoven. Toen daar de brief van binnenkwam, vond hij dat meer dan een brief. Het was een routewijzer naar de rest van zijn leven. Hoe dat eruit zou zien, waar het toe zou leiden en via welke route en in welk tempo, dat alles lag besloten in die envelop. Dus kon hij hem niet zomaar openen, vond hij, niet aan een keukentafel of op de bank, zomaar midden op de dag, alsof het een brief van de Informatie Beheer Groep was.

Met zijn hond Kim wandelde hij de stad uit, naar het bos. Daar opende hij de envelop, centimeter voor centimeter.

Weer een nee.

Hij had het ergens wel verwacht. Niet uit indekkend fatalisme – of misschien ook wel een beetje – maar omdat er in dat gezelschap achter die tafel slechts één met een blik van enthousiasme keek toen Denvis op de vraag wat hij dan met deze opleiding wilde – die toon ook van zo'n vraag, als van een agent op een politiebureau, het proces-verbaal voor zich op tafel – een wat hakkelend verhaal hield over optreden en cd's maken.

Maar het bleef lonken, de wereld van film en theater. Hij werd theatertechnicus bij *Antartica*, een musical met een boodschap. De nummers gingen over het verdwijnen van de Noordpool en het doodknuppelen van zeehondjes, met titels als 'Omdat het nodig is', 'Alles te bont', 'Is dat eerlijk!' en 'Geven we de aarde nog een kans'.

Dat was waarschijnlijk het ergste aan de baan: iedere avond die draken van nummers aanhoren. Al viel het ook niet mee om ze uitgevoerd te zien worden in half of volledig lege schouwburgzalen, waar zelfs het sluiten van balkons en ophangen van doeken halverwege de zaal de onontkoombare conclusie van een flop niet konden verdoezelen. Elke avond zag Denvis Jorita en Bastiaan en Eddy en Hilde en Jolly en hoe ze verder ook allemaal heetten met grotere weerzin zingen dat we de wereld moesten redden, terwijl zich al op de voorste rijen tussen twee verveelde kinderen het pluche van weer een lege stoel aftekende. Het waren leuke mensen en tegen die Wilfred Klaver keek Denvis zelfs een beetje op, want hij speelde vroeger Dirk-Jan in *Spijkerhoek* en die vond Denvis behoorlijk stoer, maar in deze omgeving werd iederéén chagrijnig, ook Wilfred Klaver.

Dat Denvis zich naar binnen had gebluft met een verhaal over ervaring met bandjes en zelf op podia gestaan en snelle leerling enzovoort hielp ook niet echt, want geregeld bleek zijn ervaring te gering. Dat hij er niet uit werd gegooid, schreef hij toe aan de staat van lethargie waarin de tournee zich afspeelde. De producers van *Antartica* hadden wel grotere problemen aan hun hoofd dan een *stagehand* die geregeld op het moment dat hij al in de zaal had moeten zijn, belde om te zeggen dat hij nu naar het station liep om de trein te pakken. Bovendien vergaten ze ook wel eens hem te bellen om te zeggen dat de voorstelling was afgelast als het zelfs met tweede kaartjes gratis niet was gelukt de eerste vijf rijen te vullen.

Hij doodde de tijd met het kijken naar de danseressen, die in hun glitterjurkjes de ene spagaat na de andere uitvoerden. Ze moesten eens weten hoe vaak hij op ze was klaargekomen, op fantasieën waarin ze diezelfde bewegingen maakten in zijn slaapkamer, maar dan naakt en terwijl hij in hun billen beet. Ze zouden het nooit weten, ze wisten immers helemaal niets van hem, tot op het bot ongeïnteresseerd als ze in hem waren, want hoewel hij zo ongeveer de enige hetero van het gezelschap was, bleef hij de jongen die tussen de nummers door de changementen verzorgde.

Tegelijk was hij verliefd, smoorverliefd, op Babs. Er waren twee serieuze beletsels: Babs had een relatie en Babs was lesbisch. Maar godallemachtig, wat was ze mooi en stoer en spannend en, zoals Denvis zei tegen iedereen die het maar wilde horen, 'interessant'. Waarmee hij bedoelde dat hij haar nooit volledig kon peilen, dat er altijd iets leek te broeien in haar hoofd, dat hij haar op geen enkel gebied kon overbluffen omdat ze altijd verder leek te durven gaan dan hij zelf. Ze werkte in de Melkweg en tijdens hun eerste nacht samen slikten ze xtc en zoenden ze lang en veel. Echte seks hadden ze niet, maar ze praatten er veel over. Het was de eerste keer dat Denvis met een meisje over seks kon praten alsof ze een vent was. Babs masturbeerde soms vier keer per dag, vertelde ze, en Denvis vond het geweldig, dat was godallemachtig ruim de helft van zijn eigen score. Al had hij één keer het drievoudige gehaald, maar dat was dan ook een zeldzaam eenzame dag geweest, en de laatste twee keer leverde het nauwelijks iets anders op dan een schrale pijn aan zijn eikel en een zeurende buikpijn die zijn ballen met zijn buik leek te verbinden. Ze was ook niet zo'n meisje dat zelf leek te geloven dat ze nooit kotste of scheet, sterker: ze praatte er gewoon over, graag zelfs, ook over de keren dat ze het alletwee tegelijk had gedaan.

Als ze moest pissen, liet ze de deur gewoon openstaan, zodat Denvis kon kijken. Wat hij dan ook geregeld deed. Dat hij altijd zei dat hij het toilet zou willen zijn, dat hij het liefst met zijn gezicht onder haar zou willen liggen op dat moment, daar lachte ze om, op een manier die verraadde dat ze hem niet helemaal serieus nam, maar het tegelijkertijd wel een leuk idee vond. Niettemin, geneukt werd er niet, want ze hield van vrouwen en vooral van haar vriendin, aan wie ze trouw was, al leek die vriendin zelf daar allerminst zeker van. Nooit eerder had iemand zo consequent argwanend naar hem gekeken. Denvis haatte haar erom en tegelijk begreep hij wel dat ze zich met een bijna wanhopige gretigheid aan Babs vastklampte. In zekere zin bewonderde hij het zelfs, die vechtlust, alleen had hij gewild dat die zich niet tegen hem richtte, en iemand anders dan Babs als inzet had.

Toen een nacht opnieuw eindigde op een bankje in een park, gelukzalig op xtc-golven in elkaars armen en verlangend naar veel meer dan de zoenen waar het ook die keer bij bleef en altijd bij leek te blijven, besloot Denvis dat hij hiermee moest stoppen; hij werd er radeloos van, en de hele dag masturberen op iemand die zei dat ook op hem te doen, dat werd op een gegeven moment zielig.

Maar de eerste die hij een paar dagen later belde toen hij hoorde dat hij was toegelaten op de Filmacademie was niet zijn moeder, maar Babs.

Hij moest op reis voor zijn opleiding begon, besloot hij, om over Babs heen te komen en eens goed na te denken over alles en iedereen. Hij kende het tegenargument dat het geen zin had gewoon maar weg te gaan omdat je altijd weer terugkwam en alles dan hetzelfde was gebleven, maar hij vond het onzin: reizen ontspande hem, en ontspanning was precies wat hij kon gebruiken in een relatie die geen relatie was noch ooit zou worden, en die begon te knagen als een verrekte spier.

Israël werd het, niet het inmiddels al lang vergeten India, want Richard was net in Israël geweest en als herboren teruggekomen, met een gebruinde kop, en ook een neusring in en met een achterlijk bebopkapsel waarmee hij er zo ongelooflijk homo uitzag dat Denvis de eerste vijf minuten dat hij hem zag alleen maar keihard kon lachen, waardoor dat zonnige hoofd van Richard er met de minuut chagrijniger uit ging zien en hun eerste ontmoeting alweer bijna uitliep op ruzie.

In Israël kon hij meteen een filmpje maken, want dat moest bij de Filmacademie; je moest in het eerste jaar laten zien wat je al had gemaakt.

Het filmpje waarmee Denvis tot zijn eigen verbazing was aangenomen, was bar slecht, in ieder opzicht, van technisch tot moreel en alles daartussen.

Het was een interview met een oude man die in een jappenkamp had gezeten en tot verbijstering van zowel Denvis als de cameraman niettemin helemaal niets te melden had. Jaren gemarteld en geen verhaal: je moest maar durven.

Denvis had het ooit gemaakt voor een filmclubje dat nooit van de grond was gekomen en het ingeleverd samen met zijn aanmelding, zodat het tenminste nog ergens goed voor was. Hij had het zelf gemonteerd met twee videorecorders en zonder mengpaneel, waardoor de toch al niet vloeiende monoloog van de man steeds werd onderbroken door hoor- en zichtbare overgangen, als van een videoband die was versnipperd en vervolgens weer aan elkaar was geplakt.

Denvis vermoedde dat die snobs van Filmacademiedocenten er hooguit een seconde of dertig naar zouden kijken, en dan hopelijk onder de indruk zouden zijn van überhaupt het simpele feit dat hij de man had kunnen vinden. Dat was kennelijk ook zo. Hij was daarna toevallig het meisje tegengekomen dat de betreffende man destijds had geregeld, en had haar lachend verteld dat het mislukte interview van het mislukte filmclubje hem jaren later toch maar mooi aan een opleidingsplaats had geholpen. Ze reageerde bepaald niet zoals Denvis had verwacht, namelijk hard meelachend. Integendeel: opeens herinnerde ze zich dat dit formeel haar filmpje was, het was immers haar onderwerp. Denvis probeerde het te sussen door te wijzen op het volkomen inferieure karakter van het filmpje, maar opeens bleek ze een soort creatief eergevoel te hebben dat nu opspeelde. Ze vond dat de man uit het jappenkamp om toestemming moest worden gevraagd, want hij had niet ingestemd met de vertoning van het filmpje voor studenten van een Filmacademie. Dat gebeurde inderdaad aan het eind van het jaar met de beste filmpjes, maar Denvis wist wel zeker dat deze daar niet tussen zat. Hij grapte dat de man zich het interview waarschijnlijk niet eens kon herinneren: hij was immers ook zo ongeveer de hele oorlog vergeten. Maar ze hield vol. Twee dagen later belde ze: de man vond het zo zielig voor haar dat Denvis haar filmpje had gestolen – 'Gestolen?,' onderbrak Denvis haar. 'Zo noemde hij het zelf,' zei ze – dat hij geen toestemming gaf het te gebruiken, en zelf ook die school zou bellen om dat te vertellen.

Ongelooflijk, dacht Denvis: vijftig jaar te laat alsnog een verzetsheld. Hij beloofde haar dat hij haar de band zou teruggeven, ja, de originele, en een andere film zou indienen voor de eindejaarsvertoning.

Een succes was het uiteindelijk niet, Israël. Niet eens zozeer omdat zijn hoofdhuid bijna van zijn schedel was geschroeid toen hij met vijftig graden Celsius door de woestijn fietste, en ook niet omdat hij in plaats van sinaasappels te plukken besloot zijn geld te verdienen als straatmuzikant, maar op een hele dag omgerekend nog geen twee gulden ophaalde – en de kamergenoten in zijn backpackershostel maar smalen: 'Het blijven joden, hè?'

Lol had hij wel, om zichzelf dan maar, wanneer hij een half uur lang 'How do you yeah?' speelde, een nummer dat Richard en hij ooit hadden verzonnen toen een man in een kroeg tegen Richard zei 'How do you do?' en Richard stomdronken antwoordde met: 'How do you yeah?'. Daar en toen besloten Denvis en Richard dat die twee zinnen samen zowel alle coupletten als het refrein van een hit moesten zijn, want soms heeft een goed nummer genoeg aan niet meer dan twee goede zinnen.

Aan de mensen lag het verder ook niet, hij ontmoette er veel aardige, al was hij niet in staat te negeren dat in Israël de bedreiging altijd op de loer ligt, in ieder gesprek, al dan niet onuitgesproken. De leuke jongen met nog langere haren dan Denvis zelf, met wie hij een avond uitging, bleek een paar weken later een leuke jongen met gemillimeterd haar, want inmiddels in militaire dienst, en dat met zichtbare tegenzin, wat hij niettemin niet wilde toegeven, alsof hij dat verraad aan zijn land en volk en plicht vond. Denvis was ervan onder de indruk, al dat verantwoordelijkheidsgevoel, maar tegelijk moest hij keihard lachen toen hij met een skinhead naar het Historisch Museum ging en hem een hakenkruis in het gastenboek zag tekenen met de tekst 'We had een great time – thank you!' eronder.

Een succes was Israël vooral niet omdat Denvis dagenlang onder water had doorbracht met een speciaal hiervoor gehuurde onderwatercamera, om de mooist mogelijke opnamen te maken. Echt, het kon zo op National Geographic, die oneindige parade van gekleurde vissen tegen een achtergrond van oplichtend koraalrif. En hij had er ook nog zelf de muziek bij geschreven, sferische gitaarklanken, dromerig maar net niet te new age, precies goed. Het zou nogal wat montagewerk worden, want hij had krankzinnig veel gefilmd, banden vol. Die banden gingen in Egypte door de scanner van de douane. En wat er vervolgens nog op stond, was niets dan sneeuw, uren sneeuw.

'Dus jij wilt dat ook, films maken?,' vraagt Denvis aan de jongen.

Die knikt bevestigend en begint in hakkel-Engels een verhaal over alle opleidingen die hij al heeft gevolgd of had willen doen of juist achteraf liever niet had gedaan, en dat hij zoiets heeft van dat je je hart moet volgen, weet je, en moet doen wat je echt wilt doen, en dan komt het vanzelf wel goed.

Denvis zegt, terwijl hij niet vergeet er even bij te lachen: 'And now back to the main subject. Me!'

5

Er loopt een man in een zwarte broek en een T-shirt van Dirty Rotten Imbeciles binnen.

'Denvis?'

Denvis staat op en geeft hem een hand. Hij werkt voor de zaal. Dat over een halfuurtje de organisatie wel aanwezig zal zijn, en zo rond die tijd de technici ook, voor de soundcheck en zo. En dat hij gaat zorgen dat de koelkasten gevuld worden, en dat Denvis tot die tijd gewoon naar beneden kan komen als hij wat wil drinken, dan geeft hij het hem van de bar.

Denvis bedankt hem, en kijkt terug naar de journalist. Die zegt: 'Gave band vind ik dat, D.R.I. Die ken je wel, toch?'

Denvis zegt: 'Of ik D.R.I. ken? Jongen, maak jij een grapje? Ik heb zelfs een band gehad met een naam die op ze gebaseerd was.'

Hij kijkt Denvis vragend aan. Denvis zegt niks. Pas als de journalist heeft gevraagd 'Echt? Hoe heette die band dan?', zegt hij: 'BOI.'

Hij laat een stilte vallen en herhaalt dan, alsof hij een

presentator is die de band aan een festivalweide voorstelt, met stemverheffing de naam: ‘BOI! Because of Illness.’

Goddomme, wat vond hij dat een vette naam toen hij net een week ervoor Feeling Free had verlaten en de rock ’n roll in stapte.

B-O-I. Als je het uitsprak, hoorde je in gedachten een vol Dynamoveld het al scanderen.

B-O-I!

Vuisten in de lucht.

B-O-I!

Ontblote bovenlijven.

B-O-I!

Honderden vliegende graspollen nog aan toe. Omdat we ziek zijn.

En het paste in het rijtje, van populaire bands die afkortingen gebruikten, met naast D.R.I. onder meer MOD en SOD.

BOI. Straight outta Geldrop, Holland.

De gitarist was nog behoorlijk getalenteerd ook. En hij had een lekker zusje. Ze was fan van de band, en plakte bandfoto’s in haar plakboek, met hartjes in plaats van puntjes op de i. Ze kwam altijd kijken en zei dan dat het ‘keivet’ was.

Denvis deed auditie in de huiskamer van een van de bandleden. Hij kwam net terug van een feest in Eindhoven waar hij samen met een andere jongen de hele avond *Let Love Rule* van Lenny Kravitz had gedraaid en meegezongen en geloofd, en dat zonder te blowen, want ze hadden geen geld meer voor wiet.

De auditie bleek min of meer te gelden als een echt optreden, er was in ieder geval wat publiek bij. Een van de aanwezigen was dronken en vervelend en terwijl Denvis zong schopte hij hem een paar keer onder zijn kont.

Dat vonden de andere bandleden geweldig. Een geweldige zanger vonden ze Denvis niet, maar dat deed er niet zo toe. Hij had uitstraling, en dat was precies wat ze zelf ontbeerden. Anthony Kiedis kon ook niet zingen, maar hij was wel Anthony Kiedis.

Ze zouden Neil Young-nummers spelen, en nummers van de Beatles, misschien ook van de Red Hot Chili Peppers. Dat kwam omdat elk van de bandleden fan was van een van die artiesten en zo wilde klinken.

'Rockband met funkinvloeden,' was het antwoord wanneer kroegbazen vroegen wat voor band ze waren. Dat zeiden alle bands in die tijd. Rockband zónder funkinvloeden, dat zou pas een statement zijn geweest. Maar dan hadden ze een bassist moeten zoeken die niet wilde *slappen*. En die geen roze basgitaar had. Denvis vond het stiekem vreselijk, al die lui die opeens deden of ze heel funky waren en diep vanbinnen eigenlijk een neger. Als je punten wilde scoren op een feestje zei je dat je fan was van George Clinton. Denvis had de indruk dat iedereen die dat riep een jaar daarvoor nog nooit van die vent had gehoord. En dan zeiden ze er ook nog bij: 'Van zijn oude werk dan, hè.'

Denvis had een Spaanse gitaar, waar hij de e, de a, de g en de d op leerde. Het bleek voldoende voor het volledige repertoire van BOI, waardoor het lang bij die akkoorden bleef. Sommige nummers op het BOI-repertoire kende Denvis al, andere niet, maar dan deed hij alsof. De kunst van fonetisch zingen had hij goed onder de knie. Als je maar kijkt of je meent wat je zingt, denken mensen al snel dát je iets zingt.

En 'Rockin' in the Free World' van Neil Young; veel meer dan vijftig keer 'Keep on rockin' in the free world' zingen was dat toch niet?

Anders schreef hij zelf wel teksten. Hij was bijna zeventien en schreef: 'Life lies.'

Hij had ook een nummer geschreven met een zelfverzonnen woord als titel: 'Insecured'. Wanneer je 'insecured' was, had iemand je onzeker gemaakt. Zoals Vrouwkje, op wie Denvis verliefd was. Heimelijk. Zij niet op hem en dat minder heimelijk. Het nummer ging dus eigenlijk over haar, of was in ieder geval door haar geïnspireerd, of minstens door het verdriet dat zij had veroorzaakt. Vandaar zinnen als 'I wanna sleep and never wake up again'. Na die zin werd het nummer harder en feller, uiteraard, want de woede. Maar ook de hoop: 'We'd start a new life / You'd be my wife.'

Lang bestond BOI niet. Tot het drukken van bandshirts kwam het nooit omdat de bandleden het niet eens konden worden over een logo. Zou dat wel zijn gelukt dan hadden achterop in het tourrijtje onder meer de markt van Geldrop, twee keer Poervoe en de Joek in Geldrop gestaan. Mooier nog dan optreden was het zitten in de kleedkamer, en het wachten. Dan blowden ze en dronken ze bier en praatten ze over wie nog had geneukt de laatste tijd, en welke geluiden ze maakte en of ze doorslikte en hoe haar tieten voelden en of ze een handje vol waren of misschien wel meer.

Dit waren de eerste stappen, wist Denvis.

Een van de hoogtepunten was een optreden op het Strabrechtcollege, precies tien jaar na de dood van John Lennon. Aan hem droeg Denvis een nummer op. Over zijn andere held, Jimi Hendrix, had hij een nummer geschreven. Daarin legt hij uit wat Hendrix zou vinden van de muziek van tegenwoordig. 'He would say acid is een music disgrace.'

Het afscheidsoptreden vond plaats in de Altstadt in Eindhoven. Er stond een meisje vooraan dat Denvis een week eerder nog had geneukt. Ze had een ongelooflijk strak kutje, het paste maar net. Of eigenlijk paste het niet. Maar ja. Toen dat duidelijk werd, was ophouden geen optie meer.

Ze bleef maar gillen dat ze zijn pik zo groot vond. 'O, die lul! Die lul!' Denvis vond het geweldig, gecomplimenteerd worden tijdens het neuken. Het beste van twee werelden.

Die laatste show van BOI was met een andere drummer dan de eerste show.

Hij hield er zelf mee op omdat hij met de muziek meer richting Rush wilde. Dat vonden de andere bandleden niks, Rush. Twee nerds met een soort wijf op zang. En al hadden ze wel van Rush gehouden, dan nog was het geen optie geweest dezelfde muziek als zij te maken: dan moest je op zijn minst noten kunnen lezen.

Zijn opvolger, Denvis' vriend Rudy, werd ontslagen. Dat ging een beetje mis; niemand had het Rudy verteld, want alle bandleden dachten dat iemand anders dat zou doen. De nieuwe was al aangenomen en zat boven in de slaapkamer te drummen toen de oude aanbelde. 'Sorry Rudy, het is te laat,' was de tekst, terwijl Rudy uit de slaapkamer drumgeluiden hoorde.

Rudy en Denvis groeiden toch al uit elkaar. Denvis was een stoer ventje aan het worden, vond Denvis. En hij vond dat Rudy dat niet was, noch werd.

Als Rudy een repetitie afzegde, was dat vanwege huiswerk. School ging altijd voor. Denvis zegde ook wel eens repetities af, maar dan omdat hij een kater had. Niet altijd, want hij had meer katers dan gemiste repetities.

Achteraf vroeg hij zich wel eens af hoe leuk het nu echt was om voor de Joek in Geldrop wakker te worden in een plas koud zuur dat algauw zijn eigen braaksel bleek, maar op het moment zelf was dat geen vraag die hem bezighield. Zo was het, zo ging dat, zo deed je dat.

Geregeld, zo niet wekelijks, zwoer hij net voor of net na het kotsen dat hij nooit meer, nee werkelijk: nooit en te nimmer meer – enzovoorts. En de week erna kostte een bierkaart met tien stempelvakjes erop weer elf gulden. En als zelfs die 1,10 per bier te duur was, liet een ander altijd wel iets in zijn glas zitten.

In Limburgse feesttenten hadden ze gooibier, wist Denvis, maar dat was helaas nooit doorgebroken in Brabant. Als in

Limburg de Janse Bagge Bend of een andere aanvoerder van het tentencircuit speelde, in Schimmert of Ulestraten of welk die avond leeggelopen dorp dan ook, dan kon je aan de bar naast drink- ook gooibier bestellen. Voor een paar cent. Per tree. Het waren de doodgeslagen, schuimloze restjes van de bar, maar daarom niet minder geschikt om per zes plastic bekers richting band te gooien, bij wijze van Limburgs applaus. Of richting andere bezoekers, bij wijze van iets wat niemand verder precies wist, maar wat vast met gezelligheid had te maken. De snobs van de feesttent wierpen met gewoon bier, maar de schooiers dronken het gooibier. Denvis wist zeker dat hij, als hij niet in Brabant maar in Limburg had gewoond, soms gooibier zou drinken.

Nu dronk hij glazen van anderen leeg. Het risico bleef dat iemand in zijn glas had gepist, maar dat was Denvis nooit overkomen, althans: het was hem nooit opgevallen. Het was een grap die hij en Richard jaren later talloze malen uithaalden, tot Richard een keer in het bonkige gelaat keek van een man met een nek zo dik als Richards hoofd, die hem terugpakte, maar dan met zijn vuisten. Toen was de lol er wel vanaf.

Wel had een kamper, genaamd Angelo, Denvis in een café ooit bevolen een glas met zijn pis op te drinken. Hij duwde de plastic beker in Denvis' linkerhand, en Denvis voelde dat hij lauwwarm was. Hij zag er een zwart haartje in drijven, of misschien ook niet en beeldde hij zich dat alleen in, maar de gedachte dat het haartje er in zou kúnnen drijven maakte hem al misselijk voor hij onder bulderend gejoel van Angelo en diens vrienden een ferme slok nam. Met zijn mond vol beende hij naar het toilet en spuugde het uit in de wasbak. Angelo liet hem verder met rust.

De opvolger van Rudy was erg goed, maar het probleem was dat hij dat zelf ook vond. Op een dag besefte hij dat hij in zijn leven voor al zijn werk betaald kreeg, behalve voor zijn werk in de band. Vanaf dat moment vond hij dat hij een vergoeding moest krijgen voor repetities.

Misschien hadden ze hem toen toch niet meteen de band uit moeten zetten, want hij was wel echt goed.

Op de drummer na had BOI geen bezettingswisselingen meer. Ze keken wel uit.

6

'Herinner je je eerste gitaar nog?' vraagt de journalist.

Denvis: 'Jazeker. Die kocht ik van Richard, de gitarist van de Spades, die toen al zijn artiestennaam had: Handsome Dick.'

'Waar was dat?'

'Op mijn werk. Bij Het Vespertje, in de Vesperstraat te Mierlo.'

Het Vespertje was een frituur, en tegelijk ook een videotheek. Het was de enige videotheek van Mierlo. Ze hadden alleen VHS-films; de Betamax en Video 2000-banden waren verkocht. Wanneer iemand een band huurde, moest Denvis de naam van de film en het lidmaatschapsnummer van de klant op een kaartje schrijven. Zelf mocht hij onbeperkt films huren. Ze hadden een paar seksfilms, waaronder ook enkele die zich niét afspeelden in Tirol.

Meestal koos Denvis een daarvan. Of een met Cheech en Chong. Of *De Vier Vuisten De Lucht In*, met Bud Spencer en Terence Hill. En anders een van Van Kooten en De Bie, vooral voor Jacobse en Van Es. Niemand keek Jacobse en Van Es zo vaak als Denvis.

Soms viel er een frikadel op de grond. Als een klant het zag, raapte Denvis hem meteen op. En anders meestal wat later. Een keer vond hij een frikadel pas maanden later terug onder de vitrine. Denvis was verbaasd dat hij nog steeds niet groen was. Integendeel, hij was een beetje wittig.

Theo, zijn baas, wist veel van frikadellen. Dat het niet waar was dat er koeienogen in zaten. 'Een frikadel bestaat uit kippenvlees, paardenvlees, varkensvlees, water, paneermeel, bindmiddel, kruiden, uien en smaakversterkers,' zei hij, uit zijn hoofd. Of hij vertelde nog maar een keer het verhaal over de Brabander Jan Bekkers, uitvinder van de frikadel zoals wij die nu kennen, die zijn naam liet veranderen in Jan Beckers om vóór zijn concurrerende neef in het telefoonboek te staan.

Theo was een aardige vent. En als een klant vervelend was en zijn aardig zijn niet meer hielp, dan had Theo altijd nog zijn valse bouvier op het achterplaatsje.

Overdag was het rustig in Het Vespertje. Denvis dronk dan koffie, at vanille-ijs en las de leesmap. In de *Panorama* stonden soms lekkere wijven, maar die droegen altijd een bikini. In de *Aktueel* stonden ze bloot, en vaak gefotografeerd als secretaresse, in een kantoor waar je op de achtergrond de glazenwasser stiekem naar binnen zag loeren. Bijna elke dag ging Denvis even naar het toilet met een *Aktueel*.

De vrouwen van het woonwagenkamp die geregeld in de frituur kwamen, deden Denvis denken aan die uit de *Aktueel*.

Soms droegen ze een zonnebril en hielden ze die op in de frituur. Om hun blauwe oog te verbergen, legde Theo Denvis uit.

Sommige klanten kwamen iedere dag.

Zoals Jantje, die zijn vader na school en soms zelfs in de pauze moest helpen met het ophalen van oud papier en karton. Daar leefden ze van. Jantjes haar leek ook wel van karton. Op school vonden ze dat hij stonk. Dat kon best kloppen, want hij bestelde elke dag iets met uien.

Er was ook een vent die Denvis Frans noemde, omdat hij FS in zijn nek had getatoeëerd. Dan zal hij wel Frans heten, dacht Denvis. Frans Steensma of zo. Na een jaar was Richard het zat en vroeg de man hoe hij heette.

Hij zei: 'Ger.'

Richard zei: 'O, wij dachten Frans.'

Hij vroeg: 'Hoezo?'

Richard: 'Nou, vanwege die tattoo.'

Ger zei: 'Die staat ergens anders voor. Frikadel speciaal!' En hij lachte met zijn mond wijdopen, zodat je de mayonaise zag zitten.

Sommige kinderen vond Denvis zielig, vooral wanneer ze zeven waren en voor de vierde keer in één week binnenkwamen en van een briefje voorlazen of uit hun hoofd opzeiden 'Mag ik twee frikadellen, twee frikadellen speciaal, twee knakworstjes, een beker mayonaise, voor acht gulden friet, een beker satésaus en een grote milkshake aardbeien?'

Een kwartier later liepen ze weer naar huis, met een zak als een verhuisdoos.

Een andere kerel kwam ook bijna dagelijks. Als Denvis en Richard het over hem hadden noemden ze hem altijd de 'Kampzak', terwijl hij helemaal niet van het kamp kwam. Dat leek maar zo. Hij was een jaar of tien ouder dan Denvis; ergens rond de 26. Hij reed in een rode Opel Manta, met een zwarte spoiler zo groot dat het wel een vleugel leek. Het rood van het linkerportier was anders rood dan dat van de rest van de auto. Kampzak kwam altijd aansnellen alsof hij van plan was Het Vespertje binnen te rijden. Hij zette zijn auto schuin op het terras, zodat zoveel mogelijk mensen er last van hadden. Zijn bestelling varieerde, op de twee sitosticks na. Hij eindigde met: 'Wel inpakken, hè?'

Hij nam de zak aan, beende naar buiten en begon alles uit te pakken. De papieren zakken uit die van plastic, de plastic bakjes uit de papieren zakken, het bakje bovenop eraf, de hamburgers uit de piepschuimen doosjes. Hij gooide alles op de terrastafel, nam van sommige snacks maar een paar happen en stapte daarna in zijn Manta, trapte het gaspedaal in en schakelde pas naar de twee toen de hele Vesperstraat hem had horen wegrijden.

Het enige wapen tegen de kampzakken van deze wereld is het heimelijk genoegen, concludeerde Denvis. Dus rochelde hij zijn vetste rochel en grinnikte bij de aanblik van Kampzak die een hap nam van een hamburger zonder op te merken dat er tussen de witte en de rode saus nog wat groene zat, taai en glibberig.

Er waren meer mensen die Denvis liever niet zag binnenkomen.

Al die alcoholisten die blikjes bier kwamen kopen. Sommigen kende hij: oude vrienden van zijn vader. Vaak vroegen ze hoe het met zijn vader ging, want ze hadden hem al zo lang niet gezien. Denvis antwoordde dat het goed met zijn vader ging. Heel goed zelfs: hij stond nog steeds droog. Denvis sprak 'hij' net iets nadrukkelijker uit dan de rest van de zin.

Richard kwam bijna iedere dag in Het Vespertje om te gokken. Soms at hij wel iets, maar vaak ook niet. Hij was vegetariër, en dat waren er bij Het Vespertje niet veel, dus daar ging Theo niet voor inkopen. Theo vond ook dat hij keuze genoeg had: friet mayo, friet curry, friet mayo en curry, of zonder: dat waren al vier vegetarische maaltijden.

Richard wist hoe die gokkast werkte. Denvis ook. Wie betwiste dat dat mogelijk was, wezen ze op de droge feiten: ze wonnen vaker dan ze verloren. En dat konden er niet veel zeggen. Dus.

Ook Eddie kwam wel eens langs, een oudere vriend die Denvis al kende vanaf zijn elfde. Eddie was homo en werkloos, maar zielig was hij zeker niet: hij reisde de hele wereld rond.

Richard had al een nieuwe gitaar, dus hij vond het niet zo erg om zijn eerste te verkopen. Hij zou hem ook linkshandig maken voor Denvis.

De prijs voor de gitaar was opgebouwd uit een bedrag, een handeling en een maaltijd.

Het bedrag was vijfentwintig gulden. Denvis moest stuff voor Richard kopen. En Richard mocht een gratis diner samenstellen uit de vitrine.

Denvis wijst naar de journalist en zegt: 'And you can quote me on this: zo ging de gitaar van Handsome Dick van de hand voor vijfentwintig gulden, een milkshake, een grote friet speciaal, twee kaassoufflés en een gram Maroc.'

7

Bij Het Vespertje had hij bijna een jaar gewerkt. Het was de langste vaste baan uit zijn leven tot dan toe, en dat zou waarschijnlijk zo blijven. Die conclusie had Denvis al vroeg in zijn leven getrokken: hij was niet zo'n werkpaard. Richard lachte hem vaak uit als hij al na een paar uur besloot dat een baantje echt niks voor hem was. Hij vond het zelf wel historisch logisch: op school zat hij ook altijd naar de klok te kijken, hopend op wijzers die ineens op hol sloegen.

Bij Van Gend en Loos had hij pakketjes uitgepakt. Die kwamen aan met de trein en moesten de vrachtwagens in. Hij begreep niet dat iemand dat werk een leven lang volhield. De zinloosheid zelve: als pakketje 3 weg was, kwam pakketje 4 alweer binnen. Het hield maar niet op. En betalen deed het ook al niet.

Als kind had hij foldertjes rondgebracht. Vond hij ook niks. In de dierentuin werken, dat wilde hij toen. Hij belde op zijn twaalfde naar de dierentuin van Eindhoven, dat hij er wilde werken. De directeur vroeg wat hij wilde verdienen. Denvis zei dat hij er niks voor hoefde. Hij kon meteen beginnen.

Toen zijn zus een keer thuiskwam en zei dat ze nieuwe muziek had gehoord die het helemaal ging worden, dacht hij rijk te kunnen worden. Het heette acid, zei Marlous, en het enige wat zo'n dj deed was twee plaatjes aan elkaar draaien en dan in de microfoon heel hard 'Aciiiiiiiiid!' roepen. Voor zo'n avondje kregen ze heel veel geld, had ze gehoord. Denvis solliciteerde meteen als dj bij café-dancing De Kers in Veldhoven. Hij werd aangenomen en kreeg een cursus dj. Aan de hand van het nummer 'Batman' van Prince leerde hij hoe hij twee draaitafels moest bedienen, mixen, pitchen.

Hij scheen het best te kunnen. Hij vond er alleen niets aan. Dus hield hij ermee op. Tegen vrienden zei hij jaren later nog dat hij gemakkelijk had kunnen binnenlopen als Dj Tosti, maar dat hij liever koos voor de moeilijke weg.

Nee, dan wiet dealen. Op Dynamo Open Air sloeg hij met Richard een enorme slag, ze zetten een paar kilo om. Duizenden Duitsers stoned, dankzij hen. Ze deden weinig in hun zakjes, maar wat ze verkochten, was goed spul en dat praatte zich al snel door onder de mensen die eerder die dag nog een zakje hadden gekocht van iemand die 'Grass! Grass!' had geroepen, en niet bleek te liegen.

Wiet wilde niemand, hasj wel. 'Moet ge dat smoren of moet ge dat drukken?' vroeg een jongen aan Denvis. Die keek Richard vragend aan. Richard zei: 'Drukken schijnt Belgisch te zijn voor spuiten.'

Denvis draaide zich terug naar de jongen en zei: 'Ik zou dit niet drukken.'

Ze hadden ook lsd-trips meegenomen, maar die raakten ze niet kwijt. Dus gingen ze er mee naar Spanje, omdat ze hadden gehoord dat er daar een enorme markt voor was. Misschien konden zij die markt niet vinden en lag het daaraan, maar uiteindelijk gebruikten ze een groot deel van de trips zelf, tot ze bedachten dat dit evenmin de manier was, al was het maar omdat de leverancier zijn investering in ieder geval terug wilde krijgen. De enigen die hun trips wilden hebben, bleken uiteindelijk een paar Spaanse criminelen met zichtbare minachting voor twee van zulke zakelijke prutsers, die in plaats van de gedroomde veertig gulden per trip 160.000 peseta's voor een zak van honderd trips betaalden.

Ze waren voor vertrek heel zenuwachtig geweest over het moment dat ze de grens zouden passeren. Die zenuwen verdwenen pas toen ze een bejaarde vrouw die alleen reisde zagen instappen, elkaar aankeken en hetzelfde bleken te denken: onder haar stoel.

Uiteindelijk vielen ze nog voor de grensovergang in slaap, moe als ze waren van de slapeloze nachten vanwege de angst betrapt te worden. Toen ze wakker werden, waren ze in Spanje, met de trips nog steeds in de boeken in hun tas.

Als dealer, wist Denvis al snel, ging hij alleen een grootse toekomst tegemoet als Dynamo Open Air een dagelijks festival zou worden. Bovendien werden ze het derde jaar dat ze het deden, toen ze inmiddels allebei met twee broekzakken vol geld rondliepen, de hele dag gevolgd door een paar potige mannen. Het waren geen agenten in burger. Waren het dat maar.

Hij moest maar 's aan het werk, of zo. Voor jonge werklozen als hij – al heetten ze dan 'werkzoekenden', maar Denvis wist heus wel wat hij was, beter dan wat hij zocht – bestonden allerlei projecten, en bij een daarvan moest hij opgeven wat hij wilde. Hij schreef op dat hij wel met jongeren wilde werken en een jongerenwerker bleek enthousiast over hem. Hij kreeg de sleutels van Poervoe, het jongerencentrum waar hij al zo veel tijd had doorgebracht dat het voelde alsof hij eindelijk de sleutels van zijn huis ontving. Hij had er als taak de jongeren te entertainen. En zijn band had nu een repetitieruimte.

Die band bestond uit Denvis en Richard en heel soms nog een gitarist als die tijd had en kon en mocht en niet te veel huiswerk had, en een meisje, Tamara, als drummer. Ze was best goed en heel lief, ze had alleen een rare slaapziekte waardoor ze af en toe opeens omviel. Als je dat wist, schrok je wat minder. Samen heetten ze de Sexy Love Men en ze hadden allemaal, ook Tamara, een snor, bij voorkeur een kleine en beetje vierkante, want dat provoceerde beter, was het idee, en viel dus op. Prince had in die tijd geen naam meer, maar alleen een symbool, van liefde. Denvis had ook geen naam, maar een logo, van plezier. Het bestond uit een tekening van twee borsten en twee glazen bier, met daarnaast een =-teken, en aan de andere kant daarvan een housesmiley.

Het kwam tot slechts één optreden, bij de opening van een gekraakte galerie in Den Haag, voor een publiek dat uit vrijwel alleen uit punkers bestond, die totaal niet geprovoceerd leken door de fascistische plaksnorretjes.

Denvis en Richard gingen al snel door met hun volgende band, The Wankalots. Denvis was net begonnen aan de Filmacademie en woonde in het centrum van Amsterdam, boven een café. Richard had daar een keer op de wc SIR WANKALOT in de deur gekrast zien staan. Hij herinnerde het zich weer toen ze een naam voor hun band zochten.

Denvis mocht een groot schoolfeest in de Melkweg mee organiseren. Hij zorgde ervoor dat hij ook iets over de programmering te vertellen had. Hij zette zijn eigen nieuwe band er tussen, en plakte heel Amsterdam vol met posters waar hun naam lekker groot opstond. Het was een goed feest. Denvis had van de ingang van de Melkweg een kopie van de haai uit *Jaws* laten maken. Wie de brug over kwam, moest de bek van de haai in.

Het repertoire van The Wankalots bestond uit een minuut of twintig aan slordige, rafelige, snelle nummers, met teksten die geen tegenspraak dulden: 'It's hard / It's stuck / It won't come out / Constipation / It's hot / It's like a rock / It really hurts / Constipation. / I've had it had all before / But now it's really sore / And I can take no more.'

Ze namen een demo met vijf nummers op. Een vriend van ze was mee op tour met de New Yorkse band Barkmarket, en kwam kijken in de studio. Hij had Dave Sardy bij zich, de voorman van de band. Denvis was onder de indruk. Zijn eerste demo, en nu al een legende aanwezig. Sardy was vooral geïnteresseerd in de techniek. Denvis' vriend legde hem de werking van het mengpaneel uit. Denvis zag hoe Sardy luisterde en tegelijk aan een knopje draaide. Daar had hij hem: de kop uit het persbericht bij de bio: 'LEGENDARISCHE AMERIKAANSE ROCKSTER ACHTER DE KNOPPEN BIJ DEBUUT THE WANKALOTS'.

Er kwamen meer optredens. Ook als ze een halfuur mochten spelen, beperkten ze het tot twintig minuten. Dan waren de nummers immers op, en had het publiek het ook wel gehoord.

Ze hadden zelf veel lol, maar teruggevraagd werden ze nauwelijks.

Toen Denvis een keer terugkwam van vakantie, vertelde Richard hem dat hij de rest van de band had ontslagen. Denvis zei dat de rest van de band maar één persoon was: de drummer.

Richard zei dat dat klopte. Die was nu ontslagen. 'We gaan door met zijn tweeën en zoeken er nieuwe muzikanten bij,' zei Richard. 'En we noemen onszelf The Spades.'

Als Richard iets wilde, gebeurde het meestal ook, temeer daar Denvis hem sowieso niet vaak tegensprak.

De ontslagen drummer kwam Denvis later nog wel eens tegen. Die wilde nooit meer met hem spelen. Denvis beklaagde zich erover tegen Richard: dat hij altijd de dupe werd van die ruzies van hem. Richard zei dat het heel anders zat: hij had de drummer juist ontslagen omdat die een hekel aan Denvis had.

De eerste mensen aan wie ze de naam van hun nieuwe band vertelden, vroegen of ze daar geen last mee zouden krijgen, een verwijzing naar niet gewoon een beruchte bende, maar een zwárte bende. Richard zei dat hij hoopte van wel.

Het grootste probleem was een drummer. Dat was het bij BOI ook al, en in *Spinal Tap* trouwens ook. Ze hadden een drummer wiens drumstel per optreden en repetitie beroerder ging klinken. Richard zei dat hij zijn spanbouten eens moest aandraaien. Hij keek Richard verbaasd aan. Richard lichtte toe: 'Stemmen. Je moet je drumstel stemmen.'

Hij lachte Richard uit en zei: 'Een drumstel kun je helemaal niet stemmen, man.'

Zijn opvolger vloog de band uit omdat hij het niet vond kunnen – zo zei hij dat: 'Dat kun je niet maken' – dat Denvis bij het optreden van The Muffs in de Effenaar precies zo op de eerste rij ging staan dat hij bij zangeres Kim Shattuck onder haar rokje kon kijken. Als ze dat echt zo erg zou vinden, zei Denvis, had ze wel een slipje aangedaan.

Typisch vond Denvis het: met bassisten was nooit iets aan de hand, die kwamen gewoon en speelden op hun simpelmansgitaar; voegden nooit iets toe, maar deden ook nooit iets af. Met drummers was altijd iets. Het leek wel of ze zich minder aan de muziek hechtten en daarmee aan de band. Misschien omdat ze ritme maakten. Och, hij wist het ook niet, hij dacht maar wat. Feit was dat ze kwamen en vooral gingen.

8

Van afgewezen worden door twee toneelscholen leerde Denvis iets over zichzelf dat hij onthield en voortaan als richtlijn ging gebruiken: hij moest veel complimentjes krijgen. Mensen die hem afwezen moest hij mijden.

En hij moest maar eens op reis, vond hij. Als hij het even niet meer wist, daar kwam al snel het idee op om op reis te gaan.

Naar Costa Rica zou hij gaan. Dat moest gevierd worden. Bovendien hadden Richard en hij nog een enorme berg wiet over van de laatste Dynamo, dus hield hij een afscheidsfeest. Hij had veel mensen uitgenodigd, van oude vrienden tot vage kennissen, onder wie een groepje asielzoekers met wie hij een tijd geleden contact had gekregen.

Vier dagen na het feest zou hij vertrekken. Zijn oom en tante kenden een echtpaar in Costa Rica, John en Heart, en die hadden nog gezegd: 'Jullie vrienden zijn onze vrienden.' Dus die mochten altijd blijven slapen. Hun zoon was wereldberoemd: River Phoenix. Denvis was meer dan idolaat van hem, hij was bijna verliefd op hem geweest, zeker toen hij in *My Own Private Idaho* speelde, waarin hij nog mooier was dan Keanu Reeves.

Denvis deed er zo nonchalant mogelijk over, zoals hij het altijd deed voorkomen dat roem geen indruk op hem maakte. Hij was wat dat betreft de groupie die backstage tegen iedereen zegt dat ze wel weet wat ze denken, maar dat zij echt geen groupie is.

Zo veel wiet hadden ze nog dat hij het plafond ermee had gedecoreerd. Als slingers hingen de wietbladeren- en takken tussen de lampen. Het feest was nog geen uur bezig toen hij zag dat een asielzoeker om zich heen keek, omhoog reikte, een paar blaadjes van het plafond trok en die in zijn zak stopte. Denvis liep lachend op hem af. 'Je hoeft ze niet te jatten, hoor: je mag ze straks gewoon meenemen. Iedereen mag straks het plafond leegtrekken.'

De man keek Denvis aan alsof hij hem zojuist de A-status had overhandigd.

Een paar uur later was het feest op het punt dat er ook mensen aanbelden die Denvis helemaal niet kende. Een daarvan zei: 'Ga je nog wel, eigenlijk?'

Denvis vroeg wat hij bedoelde.

'Naar Costa Rica. Je logeert toch bij de ouders van River Phoenix?'

'Ja. Hoezo?'

'Heb je het nog niet gehoord? Hij is dood. Was net op het nieuws. Dood neergevallen buiten de Viper Room in LA. Overdosis.'

Denvis ging toch, maar met het onrustige, wat onbehaaglijke gevoel waarvan hij als kind altijd dacht dat het overging als hij ouder werd en niet meer naar de tandarts hoefde als hij dat niet wilde. Of er nooit meer een leraar de klas zou binnenkomen die 'Bankjes uit elkaar!' zei, terwijl hij niet had geleerd. Dat onbehaaglijke gevoel waarvan hij inmiddels vreesde dat het wel degelijk zijn hele leven zou blijven terugkomen.

Toen hij aankwam, waren John en Heart nog niet terug van de begrafenis, maar hij trok op met de jongen die in hun huis werkte om zonne-energie aan te leggen. Hij sliep in een tentje op het strand, speelde overdag op zijn gitaar en voelde zich een hippie, maar dan niet zo'n zeurende.

Na een paar dagen kwamen John en Heart terug en stonden ze erop dat hij bij hen overnachtte. Want het leven ging door, zeiden ze, zo vaak dat ze er zelf duidelijk nog in moesten gaan geloven.

Veel deed hij niet, hij ging hele dagen om met hun dochter Summer en lag uren in bed, omdat de coke in Costa Rica zo ongelooflijk goedkoop was dat hij net als het hele dorp 's avonds zoveel wegsnoof dat het soms als witte snot weer uit zijn neus liep. Hij kon er de hele nacht op doorgaan, maar zo was dat met coke: de dag erna gaf je op.

John was een alcoholist. Als Denvis hem zag zitten, met zijn samengeknepen mond starend uit het raam, had hij met hem te doen. En tegelijk ook niet. Zijn verslaving had River niet van een vreemde, dat was duidelijk. En de aanblik van die alcoholistische vader en de onzichtbare donderwolk die dat in een huis opleverde, die permanente aankondiging van naderend onheil; ze riepen bij Denvis te veel herinneringen op om er met alleen maar empathie en mededogen naar te kijken.

Op een avond liet John via zowel Summer als haar zusje Rain weten dat hij Denvis wilde spreken. Want vegetarische hippie op zonne-energie of niet, aan autoritaire verhoudingen in het gezin geen gebrek.

Hij zei tegen Denvis dat hij alleen wilde zijn. Alleen met zijn gezin. Denvis zei dat hij het begreep. Hij had het al verwacht, en had inmiddels een nieuw adres geregeld. Dat vond John weer vervelend: nu gaf Denvis hem het idee dat hij geen gastvrijheid had ervaren.

Denvis zuchtte. *Whatever.*

John vroeg of hij nog iets voor Denvis kon doen.

Denvis zei dat hij graag een collect calltelefoontje naar zijn vader wilde plegen, omdat hij precies elf jaar geleden gestopt was met drinken en Denvis wilde hem vertellen hoe trots hij op hem was. Hij keek John strak aan. Die verbeet zijn woede.

Hij had inmiddels een oude punker uit Berlijn leren kennen, Wolfgang, die een backpackershotel runde. Denvis mocht proberen arriverende toeristen naar het hotel te lokken, in ruil voor eten en overnachting. De eerste dag kreeg Denvis zo'n knallende ruzie met een Duitse vrouw, die vond dat Denvis haar lastigviel, dat hij bij Wolfgang niks meer fout kon doen. Daar hield Wolfgang van, zei hij, karakters.

Na twee maanden dacht hij daar kennelijk anders over, want toen zei hij dat Denvis best wel weer 's verder mocht reizen. De laatste avond ging Denvis in de keuken soep maken, toen Wolfgang binnenkwam. Op woedende toon vroeg hij wat Denvis daar deed.

Hij zei: 'Soep maken.'

Wolfgang vroeg voor wie.

Denvis zei: 'Voor mezelf. Maar ook voor jou.'

Wolfgang vroeg wie er had gezegd dat hij soep wilde.

Denvis grapte dat krakers toch altijd soep wilden. Toen werd Wolfgang nog woester. 'What the hell do I have to do to get you out of my kitchen?'

Die vraag voldeed.

Nog drie dagen, dan zou zijn oude vriend Eddie landen in Costa Rica en zouden ze samen doorreizen naar Lima. Als iemand op de wereld nooit genoeg kreeg van Denvis, was het Eddie.

9

Hoe het zit met de scene in Holland.

Wie zijn favoriete bands nu zijn.

Wat hij vindt van de Rolling Stones.

Of ook hij vindt dat The Hives commercieel zijn geworden.

Hoe hij het vindt om in Zwitserland op te treden.

Wat het verschil is tussen alle landen waar hij heeft gespeeld.

Wat hij vindt van het leven 'on ze rood'.

Pff.

Denvis werkt verveeld het lijstje met vragen af. Het blijft hem verbazen dat een creatief vak zoveel non-creatieve mensen aantrekt. Allemaal fan van Radiohead, allemaal met een schuin oog naar elkaar kijkend of ze wel van de juiste bands houden, allemaal het eerst een band ontdekt willen hebben en daarna vooral als eerste die band weer passé verklaren; allemaal een grote mond over de podiumprestaties van anderen, maar zelf geboren met een trillend onderlipje.

Zijn oog dwaalt geregeld af, naar het raam naast de bank, waardoor hij de zaal kan zien. En naar de gang. Er komen steeds meer mensen de club binnen.

Een van de organisatoren loopt naar hem toe. Hij begroet Denvis gul en enthousiast.

Of alles naar wens is? Denvis kijkt om zich heen, naar de inmiddels gevulde koelkasten, en de tafel vol fruit en twee bakken met snoep. Ja, hoor.

'En wat betreft de andere eisen op je *rider*,' zegt de organisator met een veelbetekende knik richting de journalist, die verzonken is in zijn vragenlijst, 'dat viel nog niet mee, maar is toch goed gekomen.' Hij lacht een vette mannen-onder-elkaar-lach, knipoogt en loopt de kleedkamer weer uit.

Denvis denkt na. Eisen?

Wat hij nodig heeft, is hem vooraf gevraagd. Hij heeft zijn gebruikelijke fles whisky opgegeven. Jaren doet hij dat al, om verschillende redenen. Op de eerste plaats vindt hij het gewoon lekker, die brand in je strot, ten tweede vindt hij het stoer als er zo'n fles op tafel staat. Het zijn mooie flessen, zelfs die van de mindere merken. Het is, na de sigaret, niet voor niets de meest gefotografeerde accessoire van rock 'n roll-artiesten.

Daarnaast is het een cash voorschot op zijn gage: een fles whisky valt altijd op de avond zelf te verpatsen voor een paar tientjes. Ontelbare keren heeft hij er zijn coke mee betaald, of de taxi. En het is een proeve van welwillendheid voor een zaal: doen ze daar al moeilijk over, dan weet Denvis dat ze over meer dingen moeilijk zullen doen. Wie zonder te zeiken een fles whisky op tafel zet, heeft een mentaliteit waar mee te werken valt.

Maar verdere eisen... Ja, viagra en een pornowijf, heeft hij geantwoord, met een heel verhaal over dat als zij Erection willen, hij Erection zal leveren, maar dat die wel gefaciliteerd dient te worden.

Een grapje, dat lijkt hem duidelijk.

10

Wat hem eerst en vooral opviel in Lima is dat niemand er lachte. Kennelijk was het lachen ze hier vergaan. Hij had die Incacultuur altijd wel interessant gevonden. Denvis kende die heroïsche verhalen over hoe vroeg dat volk al heel ontwikkeld was ondanks het feit dat ze zelfs de uitvinding van het wiel hadden gemist, en hoe de Spanjaarden hier huis hadden gehouden. Hij had het gevoel dat hij op reis was in een avonturenboek.

Het plan was om dwars door de Amazone van Lima naar Brazilië te reizen. Maar net voor ze in Brazilië aankwamen, veranderde het land de munteenheid van de cruzeiro real in de real en werd alles honderd keer zo duur. Eddie zei: 'Tot zover Brazilië.'

Eddie was verliefd op Denvis, al zolang Denvis hem kende. Denvis was niet verliefd op Eddie en dat wist hij, maar verder wist hij het allemaal even niet. Hij zei tegen zijn ouders: 'Paps, mam, ik ga met Eddie op reis. En ik denk dat ik bi ben.'

Zijn ouders zeiden dat hij vooral moest doen wat hij wilde, en dat hij er daarginder misschien achter zou komen dat hij toch niet bi was.

Hij was geen homo, dat wist hij, hij was gewoon heel tolerant. Maar als hij geil fantaseerde, fantaseerde hij over vrouwen. Dat zei hem genoeg. Als een mens ergens eerlijk is, is dat in zijn geilste fantasieën. Tegelijk had hij als kind al seksuele gevoelens bij zijn kont, en had hij het altijd prima voorstelbaar gevonden dat het heel lekker was als daar iets in ging wat groter was dan je eigen wijsvinger. Maar als hij dacht aan een man die hand in hand met hem wilde lopen, en in zijn oor fluisterde dat hij altijd bij hem zou willen blijven, schoot hij in de lach. Het geilst waren toch vrouwen, en dan vooral vieze dingen met ze doen. Dingen die je ruikt.

Vrijwel meteen na hun aankomst in Lima werd Denvis ziek. Zo'n rare tropenziekte die ervoor zorgt dat je stront uit je reet pist. Eddie zorgde voor Denvis als het meest toegewijde zustertje van de kliniek. Hij waste zelfs de diarree uit zijn slaapzak.

In heel zijn leven had Eddie nog nooit een dag gewerkt. Hij was afgestudeerd in de tijd dat zelfs nadenken over de kans op een betaalde baan al een vorm van utopisme leek, en verkeerde in kringen waar een uitkering niet alleen als basisinkomen werd gezien, maar zo ook werd genoemd. Denvis had altijd tegen hem opgekeken, tegen die man met zijn zelfgekozen bestaan, in een huis dat een museum leek van souvenirs uit alle landen waar hij ooit was geweest, want dat waren er vele.

Ze kochten onderweg, in een van de dorpen waar sluipschutters van Lichtend Pad af en toe vanuit de bergen oefende op de dorpelingen, een eend, die Denvis Lula noemde. Vernoemd naar een vrouw die zo heette volgens haar grafsteen, die Denvis en Richard twee jaar eerder samen op reis door de Spaanse Pyreneeën hadden gezien. Het was een extreem regenachtige dag waarop ze veel drugs hadden genomen en 's nachts al trippend waren gaan wandelen. De maan stond vol en fel aan de lucht, iets waar ze in hun drugsroes diepe betekenissen aan toekenden, die met elkaar gemeen hadden dat ze de volgende dag vergeten waren. Ze waren al ver het dorp uit en diep het dal in toen ze langs een begraafplaats kwamen, die volledig ondergelopen was. Zerken stonden scheef, grafstenen waren in de modder gezakt. Denvis en Richard strompelden door de zware modder toen ze opeens de kootjes van een paar vingers uit de grond zagen steken. 'Carrie!' riepen ze allebei. De hand lag in de buurt van een grafsteen met de naam Lula erop. Het was raar genoeg niet eens huiveringwekkend, maar juist van een haast spirituele schoonheid. Maar misschien waren ook dat de drugs.

Bij een volgend dorp waar Eddie en hij arriveerden, gaf hij de eend Lula aan het gezin waar ze mochten blijven slapen. Ze hebben vast van Lula gesmuld.

Denvis en Eddie kauwden op cacaobladeren en plukten wilde orchideeën, Eddie luisterde naar Denvis toen die 's nachts op een bergtop gitaar speelde en zong, met een koor van krekels. Ze kwamen op alle plaatsen waar Amerikanen met buideltasjes wegbleven omdat die niet voorkwamen in de *The Celestine Prophecy*. Ze reisden naar Bolivia, waar Denvis op de trappen van een kerk gitaar speelde en al zijn geld aan een blind echtpaar met vijf kinderen gaf, terwijl Eddie naar de markt ging om stoffen te kopen die hij in Nederland kon verhandelen. Ze gingen ook de jungle in, maar de mannen die ze daar troffen hadden duidelijk meer plezier in het afschieten van jaguars dan in het aanhoren van de verhalen van twee hippies uit Europa. Ze gingen naar Potosi, waar een zonsverduistering zou komen, en die kwam, en Denvis speelde ook toen op zijn gitaar, terwijl de tranen over zijn wangen rolden en zijn hele lichaam trilde.

En ondertussen, de hele reis door, neukte Denvis zich suf, tot zichtbare spijt van Eddie niet met Eddie.
Hij ging mee met een Duitser die in Peru ooit was betrapt met een paar honderd gram hasj en daar jaren voor had gezeten. Hij had nog steeds altijd hasj bij zich, en op een feestje blowde Denvis met hem mee. Denvis dacht dat hij tegelijkertijd een meisje had versierd, maar die Duitser ging naar haar hotel, en die bleek haar een of ander black magic-spel te hebben beloofd, dus zat Denvis opeens midden in een achterlijk tafereel met kaarsen en kaarten en andere zaken die de kans op seks per minuut verder deden afnemen. Op zichzelf was dat geen ramp geweest als het meisje langer was gebleven, want de eerste avond niet neuken betekende vaak de tweede avond wel en snel ook, daar de eerste avond in die gevallen het geruststellend bewijs

was dat het niet alleen om het neuken ging. Als die indruk eenmaal was gewekt, kon er zonder gewetensbezwaren geneukt worden. Maar een dag later was ze verdwenen en bleef Denvis achter met een kater die op slag verdwenen was toen hij het met een ander meisje alsnog deed. Alleen jammer dat hij om meerdere redenen zijn enthousiasme niet kon delen met Eddie.

Hij was, dat wist hij zelf ook wel, het cliché bij uitstek van de hoerenloper die op een dag bij een Zuid-Amerikaanse binnenloopt en tien minuten later (want wat zijn ze strak, het lijkt wel anale seks, maar dan van voren) weer naar buiten komt met een gezicht alsof de here Jezus zojuist voor zijn ogen is teruggekeerd op aarde, en vervolgens alleen nog maar lyrisch kan lullen over schaamheuvels die schuren als scrubcrème, en over meisjes die dansen op je pik alsof het een paal is, en daarna volgt altijd een tirade over Nederlandse vrouwen die alleen maar op en neer kunnen rijden en niet in van die rondjes. Nederlandse vrouwen neuken in lijnen en in het beste geval in blokken, Zuid-Amerikaanse doen het in cirkels. Denvis kende alle verhalen van horen zeggen, maar godnondeju, ze klopten werkelijk woord voor woord.

Het ging in die landen ook zo gemakkelijk, alsof iedereen overal maar ja op zei. Alles waarvan hij had gefantaseerd, was er mogelijk, in het echt. Hij deed het met een hoogzwanger meisje en vond het net zo heerlijk als gehoopt om te proeven van de melk die uit haar borsten lekte, gek als hij was op vocht dat uit vrouwen kwam. Haar huis was niet meer dan een kamer, en daar lag ook de vorige baby in. Die werd wakker van het geschreeuw. Terwijl Denvis haar door bleef neuken en zij met haar rechterhand in zijn tepel kneep, schommelde ze met haar linkerhand de wieg.

Een Duits stel nodigde hem uit om, zoals ze dat formuleerden, 'met een snuif ketamine op, zijn mannelijke g-spot te ontdekken'. Hij bedankte beleefd, niet vanwege het aanbod maar vanwege hun uiterlijk. Ditzelfde aanbod kreeg hij vast nog wel eens van twee mooie mensen. Alleen dat was al fijn aan dit continent: je kon gerust een keer 'nee' zeggen, de volgende kans zou zich snel weer aandienen.

En Eddie bleef maar hopen op meer, op liefde, of gewoon op zijn lul in Denvis' vijftien jaar jongere kont, maar misschien was dat dan een uitdrukking van die liefde.

Uiteindelijk gebeurde het toch, uiteraard, want dat integere gedoe over het respecteren van de grenzen van de ander betekent per saldo uitstel en niets meer. Wie wil neuken, liegt alles erbij dat het dichterbij brengt – desnoods acteert hij integriteit.

Behoorlijk wat glazen whisky en een joint waren ervoor nodig om Denvis uiteindelijk achterover te laten leunen terwijl Eddie hem afzoog. Dat kon hij trouwens beter dan menige vrouw. En toen dat eenmaal was gebeurd, ja, toen kon de rest ook wel. Niet alles vond Denvis geweldig, vooral het zoenen niet, zo'n krachtige dominante bek vol stoppels kon niet tippen aan meisjeslippen. De ander moest verlangen naar zìjn mannelijkheid, niet andersom.

Eddie was alleen maar gericht op Denvis en op niemand anders. Dat was vleiend, maar het grote nadeel van monogame mensen is dat ze van de ander uiteindelijk dezelfde ontbering verlangen, waardoor opofferingsgezindheid al snel een vermomming van geclaim blijkt.

En dus werd het uiteindelijk alsnog hetzelfde jaloerse wat-heeft-zij-dat-ik-niet-heb-drama dat Denvis ook zou hebben gekregen als hij met een vriendin op vakantie zou zijn gegaan.

Wat hebben meisjes dat jongens niet hebben, goddomme, wat een vraag. Het antwoord was de reden dat Denvis hetero was. Het antwoord zit in je broek, Ed. Je moest wel verongelijkt en homo zijn om je zoiets af te vragen.

Eddie hield van Denvis zoals hij was, dat moest Denvis ronduit erkennen, en had hem hiervoor nooit met een vinger aangeraakt. Dat was inmiddels ruimschoots gecompenseerd, maar nu pas realiseerde Denvis zich hoeveel moeite dat Eddie al die jaren moest hebben gekost.

Jammer, vond Denvis, dat hij geen genoegen nam met wat hij nu alsnog met Denvis mocht doen, maar dat hij een soort exclusiviteit opeiste die hem niet paste en er als een gekwetste tante bij liep toen die niet werd ingewilligd. En als ze na de zoveelste bergwandeling in alweer een ander dorp aankwamen waar nog nooit een toerist was geweest en ook daar de meisjes op Denvis geilden, begon Eddie te janken dat hij dacht dat ze samen op vakantie waren.

'Als ik een wijf had gewild, had ik wel een wijf meegenomen,' riep Denvis uit.

Denvis had 2500 gulden, vooral van zijn ouders gekregen, aan de reis betaald, Eddie het drievoudige. Dat bleek steeds meer een onuitgesproken pachtgeld.

Toen Denvis merkte dat hij verveeld begon te raken van al die mooie natuur wist hij dat het tijd was om terug naar Nederland te gaan. Toen hij daar aankwam, vijftien maanden nadat hij was vertrokken, was hij net te laat om zich aan te melden voor komend studiejaar. Dat wist Denvis altijd goed te plannen.

Hij verkocht alle souvenirs die hij had meegenomen aan zo'n Oibibio-type en had weer genoeg geld om verder te reizen. Naar Australië. Eddie begreep wel dat Denvis dat in zijn eentje wilde doen.

11

Het wordt drukker en drukker in de kleedkamer.

Sommige mensen wijzen naar hem en zeggen 'Ah, the guy from Holland. Erection!' En dan lachen ze. Hij voelt zich een beetje een clown.

Een minuut of tien geleden kwamen er weer twee mensen bij. Een foute gast met zo'n hip mutsje op en een Palestina-sjaal die aan de trui vast zit, een nieuwe variant op de spijkerbroek met voorgescheurde pijpen.

De foute gast is een dealer, dat heeft Denvis meteen door. En het meisje dat bij hem is lijdt aan een eetziekte. Haar Nudy-spijkerbroek is maximaal maat 24, en nog schuift hij bijna van de plek af waar bij andere vrouwen billen zitten. Het is dat ze zonnebankt, anders had ze terminaal geoogd.

Denvis is zo in gedachten verzonken dat hij niet doorheeft dat hij de gast nu al vrij lang aanstaart, en dat die sinds enige tijd terugkijkt. Hij komt op hem af en steekt zijn hand uit. 'Denvis, right? Ik heb ze. Dat viel nog niet mee. In Zürich gebruiken we geen vitamine V.'

Staan er grappen in zijn *rider*, wordt dat ding opeens nageleefd. Denvis kijkt naar het anorexiameisje. Zou zij dan het pornomodel zijn? Er schiet hem een ranzige grap te binnen over haar vermoedelijke pijpkwaliteiten, gezien haar voorkeur om met regelmaat een vinger in haar keel te steken. Hij moet er zelf om lachen, al zal niemand de grap ooit horen.

Hij kijkt naast zich. De jongen stopt zijn vragenlijst en mp3-speler in zijn tas.

'Heb je genoeg?'

'Zeker!' Waarop hij begint te vertellen hoeveel woorden hij moet schrijven, en voor wat voor rubriek het is, en dat hij wel eens te lange teksten inlevert, maar de eindredacteur altijd precies datgene eruit haalt wat hij zelf het leukst vindt, dus dat hij tegenwoordig wel uitkijkt en precies op lengte inlevert, blabla. 'Mooi,' onderbreekt Denvis hem. 'Bedankt! En plaats je het dan net voor mijn tournee?'

Dat zal hij doen.

Denvis geeft hem een hand en wenst hem een goede terugreis.

'O, ik kom ook nog naar het festival, hoor,' zegt hij, en Denvis herinnert zich opeens dat hij dat inderdaad al heeft gezegd. Of misschien ook niet.

'Dan zie ik je vanavond nog wel,' zegt Denvis, bij wijze van definitieve afronding, en hij draait zich nu weer naar de dealer.

Die zegt: 'Ga je even mee?'

Ze lopen samen de trap af. Een verdieping lager zijn de toiletten, een voorraadkast en een kleine werkkamer. De dealer kijkt de werkkamer in. Leeg. 'Kom hier maar even.'

Hij haalt een kleine, zilverkleurige strip uit zijn broekzak. Hij is afgeknipt van een grotere. In twee doorzichtige plastic vakjes zitten twee blauwe pilletjes. Denvis pakt ze aan. Hij draait het stripje om. 'Sildenafil', staat erop, wat dat ook mag zijn. Hij draait het stripje weer om. Hij had ze op de een of andere manier groter verwacht.

'Een uur van tevoren innemen met water,' zegt de dealer.

Denvis: 'Allebei?'

'Ik ken je libido niet.'

'Groter dan mijn ego.'

'Dan moet één wel voldoende zijn. Bewaar je de andere voor thuis.'

Hij slaat Denvis te familiair op zijn schouder en loopt de kamer uit, de trap weer op.

12

Australië, het boeveneiland, dat was zijn land, dat wist Denvis al toen hij er nog geen dag was geweest. Australië zijn land, en Sydney zijn stad. Een stad van arbeiders en artiesten, een stoer bastion waar de zee hard op in beukte.

Hij wilde een jaar blijven, dat was zijn plan. Het was ook meteen het volledige plan, veel andere ideeën had hij niet. Gewoon wat rondhangen, bandjes kijken, in kroegen zitten, leuke mensen ontmoeten. Geld zou hij wel verdienen door wat te spelen op de oude, beschadigde Gibson die hij voor een paar dollar tijdens de stop in Singapore kocht. En vooral zou hij weinig uitgeven. Sommige mensen gingen naar Australië en bekostigden hun verblijf door iedere dag van zonsopgang tot zonsondergang te werken. Zaten ze daar, in een of ander druivenveld, en allemaal met achteraf van die idyllische verhalen over struinen tussen de ranken, maar ondertussen zagen ze geen fuck van het land, behalve Berrit of Noosa Land of een van die andere oorden die al dat Loney Planet-volk zou mijden als er geen geld te verdienen zou zijn. Denvis was hier niet om de hele dag te werken. Cash had hij alleen nodig voor de driehonderd dollar per maand voor zijn kamer en voor wat eten, maar op twee pizzaslices of kebabrolls kwam hij met gemak de dag door. Of hij kocht een pak spaghetti en een blik tomatenpuree, sneed op het strand wat zeeslakken van een rots en maakte daar een escargotsaus van. Dat had hij altijd gekund, geld en voedsel maken van niets. In Costa Rica raapte hij kokosnoten op, maakte die schoon, stak er een rietje in en verkocht ze voor een dollar aan toeristen.

Toen hij in Sydney aankwam ging hij meteen spelen op Circular Quay, de plek waar alle Ferry's vertrokken. Hij had wel eens verhalen gehoord over straatmuzikanten die zo slecht waren dat mensen uit medelijden geld in hun muts gooiden. Na een uur wist hij hoe dat voelde. Toch bleef hij er spelen, bijna elke avond. Geld uit medelijden is ook geld.

Als de avond viel, liep hij vanuit zijn backpackershotel naar de wijk Kings Cross. Het was nogal een wandeling, te lang om dezelfde avond ook terug te maken. Hij speelde dus de hele nacht door in The Cross en nam 's ochtends de eerste tram, of hij sliep op een bankje in het park.

In zijn dagboek schreef hij: 'I wanna be a rock 'n roll star.'

Hij hield van The Cross, zoals hij in Amsterdam ook meteen naar de Wallen wandelde, en in Singapore in Geylang terecht was gekomen, en de ene keer in zijn leven dat hij in Hamburg was geweest ook meteen bij de Reeperbahn eindigde. Waar straathoeren op hoeken stonden, gesis vanuit steegjes klonk en dealers fluisterden onder hun capuchons, daar wilde hij zijn. Dicht bij de afvoer van de nacht, in de spanning van de rafelrand, tussen het volk voor wie de ochtend altijd als een onaangename verrassing komt.

Niet ver van het station klapte hij zijn gitaarkoffer open en begon hij nummers van The Stooges te spelen. Af en toe knikte iemand hem bemoedigend toe. Bij het derde nummer kwam een magere jongen met een baardje aanlopen. Hij was een jaar of 23 en zag eruit alsof hij tien jaar geleden al een straatschoffie was en dat altijd was gebleven.

Op zijn rug droeg hij een gitaarkoffer. Hij bleef voor Denvis staan en knikte met zijn hoofd met de melodie mee.

Hij zei: 'Ah, je speelt The Stooges.'

Denvis knikte. 'Ja, ik ben gek op The Stooges.'

De jongen knikte enthousiast terug. 'Ik ook! En op de Ramones.'

Denvis stak zijn hand uit. 'Ik ook, man! Ik ben Denvis.'

De jongen zei: 'Leuk je te ontmoeten, Denvis. Ik ben Scott.'

Soms was het heel simpel, dacht Denvis, dan voldoet weinig om te weten dat je iemand mag. Wie 's avonds door The Cross loopt en ook naar de Ramones en The Stooges luistert deugt.

Scott was zijn maat, vanaf hier en nu. Hij vroeg of hij met Denvis mocht meespelen.

Een dag later stonden ze opnieuw samen in The Cross

en speelden nummers van de Ramones en The Stooges. Scott leerde Denvis ook 'Polly' van Nirvana. Daar had Scott een cassettebandje van en hoewel *Nevermind* net uit was, kon hij sommige nummers al spelen. Hij was sowieso behoorlijk goed en leerde Denvis akkoorden, grepen en meer nummers. En de truc die alles gemakkelijker maakte: ieder nummer langzamer spelen. Of het daardoor kwam, of vanwege het feit dat twee jongens met allebei een gitaar onmiddellijk een soort Simon and Garfunkel-sentiment aanspreken al zingen ze dat ze je hond willen zijn: het regende muntjes vanaf het moment dat ze samen speelden. Het gulst waren de inlanders, de boeren uit de jungle. Ze zagen er zonder uitzondering uit alsof ze die ochtend nog de kop van een slang hadden afgebeten en pareerden door The Cross met steevast een paar vrienden en een hoer per man. Als de eerste een dollar gooide, gooide de tweede twee, en de derde vijf. Meestal wilde de eerste daar weer niet voor onderdoen, en ze maakten hetzelfde rondje opnieuw met dubbele inzet terwijl ze hardop nummers aanvroegen uit jukeboxen van jaren geleden, liefst gevolgd door wat denigrerend commentaar op de muziek. Om die muziek of de muzikanten ging het ze niet, dat waren slechts de aanjagers van hun bluf. Maar Scott en Denvis bleven lachen, want binnen vijf minuten viel de opbrengst van de avond en het budget voor de komende nacht in hun koffers. Ze hielden er op zulke avonden ook altijd meteen mee op. Spelen was leuk, maar geen doel. Soms stopten ze al bij genoeg geld voor twee bier, dronken ze, speelden weer tot ze opnieuw twee bier konden betalen en hielden dan weer op.

Scott vertelde in het café over zijn jeugd in Nieuw Zeeland, dat intens brave Nieuw Zeeland, waar iedereen zo godverdomde lief was dat je vanzelf ging verlangen naar klootzakken; een land waar bordjes stonden om de mensen erop te wijzen dat de maximumsnelheid niet voor niets de maximum snelheid was: het mocht ook langzamer. Nieuw Zeeland, waar mensen woonden die zich aan die bordjes hielden. Land van zondagsrijders, ook door de week.

Scott vertelde over zijn drugsverslaafde vader, en zijn moeder die hertrouwde met een rijke vent die hem niet mocht, en hoe hij sindsdien min of meer op straat had geleefd. Sinds een paar dagen had hij een huis. Hij had een baantje als telemarketeer, maar meldde zich zo vaak ziek dat elke keer wanneer hij op zijn werk verscheen, hij zich moest voorstellen aan de inmiddels vernieuwde helft van zijn collega's.

Verdienden ze op een dag wat meer, dan kochten ze naast bier ook hasj of trips, al vielen die nogal tegen: het was meestal meer papier dan trip. Voor xtc gold hetzelfde: ze hadden al heel wat duur betaalde aspirines op voor ze het eerste pilletje met enig effect troffen.

Mits je moraal nogal los en je angsten niet te talrijk, kon je in The Cross veel lol hebben, maar je moest je ogen openhouden, ook die in je rug. In zijn tweede week als straatmuzikant kwam een hysterisch krijsende vrouw met een mondharmonica in haar hand op Denvis aflopen, terwijl ze bleef herhalen: 'This is my spot!' Denvis week niet van zijn plek en zij bleef staan schreeuwen. Tien minuten verdiende hij niks doordat zijn Stooges-nummers werden overstemd door haar gekrijs; toen liep ze verder, de eerste meters na iedere stap nog tierend terwijl ze achterom keek. Denvis zag haar een hoek verder haar tirade herhalen tegen een junk die hij al vaker op die plek had zien staan. Het ging heel snel: nog voor ze was uitgesproken, haalde hij uit en stak haar twee keer in haar buik, vlug achter elkaar.

Ze viel voorover op de stoep en het duurde erg lang voor de ambulance kwam.

Er was een bar in The Cross waar wiet en hasj werden verkocht, stiekem weliswaar, maar wel zo opzichtig stiekem dat iedere toerist ervan wist. De Picolobar werd gerund door een oude homo en ze verkochten er ook shirts met het logo van de bar erop: een grote foto van James Dean. Toen Denvis het shirt droeg terwijl hij stond te spelen, bleven opvallend veel mensen staan. Ze gooiden niets in zijn koffer, ze hadden alleen een vraag. Of beter gezegd: meteen een bestelling. Hoe meer hij erover nadacht, des te beter hij het idee zelf vond. De zingende wietdealer; daar zat geld in. Hij kende uit een van de bars in The Cross een Griek die hem had verteld over zijn handel in goedkope wiet. Okana was zijn bijnaam. Dat scheen de naam van een Griekse anti-drugsorganisatie te zijn. Okana vertelde over zijn wiet alsof die als gras in zijn tuin groeide.

Na het spelen ging hij naar de bar waar hij Okana had gesproken. Hij was er, hij zat zelfs op ongeveer dezelfde plek aan de bar. Het was druk, maar de kruk naast Okana was leeg. Geen wonder; de Griek deed nog het meest denken aan de buschauffeur van een touringcarbedrijf, die al jaren dezelfde afgekloven moppen ophoestte als oud slijm, voor een publiek van beleefde glimlachers. Okana keek Denvis afwachtend aan. Hij had een dikke buik, en vanonder zijn shirt staken aan alle kanten zwarte haren uit, die eruitzagen alsof ze zouden breken als je ze boog. Denvis kwam meteen ter zake.

'Jij doet toch in wiet? Verkoop je ook grotere hoeveelheden?'

'Zeg maar hoeveel je nodig hebt.'

'Een flinke zak. Wat kost dat?'

'Niet veel. Dat geldt ook voor de kwaliteit, zeg ik er meteen bij. Dus daarover achteraf geen gezeur, graag. Maar maak je geen zorgen: niemand zal zich beklagen. Tien dollar en ik lever je een zak.'

Okana's wiet zag eruit als wiet en rook naar wiet, maar het effect was hoogstens dat van een placebo. Hij was gemaakt met het afval van de wietbladeren. Met gemak kon Denvis er tien kokertjes van fotorolletjes van vullen, en die besloot hij voor honderd dollar per stuk te verkopen.

In wilde visioenen droomde Denvis dat hij er een zak per week doorheen draaide, maar de werkelijkheid en die wilde visioenen lagen vele kokers uit elkaar. Af en toe verkocht hij wat, vaak aan een toerist, die het dan oprookte in een waterpijp omdat shag te duur was.

Eerst dacht hij dat het aan zijn verkoopmethode lag, dat alleen een Picolobar-shirt toch net iets te subtiel was. Dus liet hij de handel zijn muziek binnensluipen, en kwamen opeens zinnen als 'So you're looking for a smoke?' en 'I got some marihuana' langs in liedjes van de Ramones. Het hielp niet echt, dus breidde hij zijn aanbod uit. Van een hippie kocht hij voor een paar bier een boek over paddenstoelen, en hij nam de bus naar de laatste halte van Brisbane. Vanaf daar liep hij naar een bos, waar hij paddenstoelen plukte. Hij wist welke hij zocht, de goldtops. Volgens het boek waren ze gemakkelijk herkenbaar en dat klopte. De schors eraf halen, en als het wit groen werd, dan zat er psilocine in, en dat was de stof die hij nodig had. Hij voelde zich een mislukte padvinder, zo op zijn knieën in het bos, zoekend tussen het mos, maar wanneer hij dacht aan het geld was hij daar meteen weer overheen. Als hij dat spul droogde, kon hij wel vijftig dollar voor een potje vragen, en er groeide genoeg voor rekken potjes aan paddenstoelen in dit bos. Hij nam er zelf ook heel veel, en schreef dan songteksten in zijn dagboek, heel lange, soms van meerdere pagina's, waar hij bij nalezing zelf niets van begreep.

Scott had wat Denvis ook had: hij trok kleur aan, leven, spanning. Ze omringden zich met de excentriekelingen, de mensen die wat wilden meemaken – en dat ook deden.

Scott had net een huis gehuurd, al leek hij daar zelf nog aan te moeten wennen. Soms namen ze vanaf Kings Cross mensen mee naar Scotts huis, om daar samen te blowen.

Op een avond keken ze samen met Anna, een vriendin van Scott, een ander meisje en drie jongens die ze die avond hadden leren kennen naar de zwarte hemel, wachtend op de onvermijdelijke bliksem. Terwijl twee joints rondgingen, probeerden ze zoveel mogelijk liedjes op te noemen over onweer. Ze waren al een halfuur voorbij de meest voor de hand liggende: 'Ride the Lightning' en 'Thunderstruck', en Denvis had al twee pogingen gedaan de anderen ervan te overtuigen dat in Nederland ene Herman Brood echt een liedje had met de titel 'Turn your fart into a thunder', toen het meisjes een epilepsieaanval kreeg. Ze schuimbekte, spartelde en leek te stikken en opeens bleken alle aanwezigen hun redenen te hebben om niet te worden aangetroffen in een woonkamer die blauw stond van de wietdampen. Alleen Scott, Denvis en Anna waren nog aanwezig toen de ambulance haar afvoerde. De politie kwam uiteraard niet, maar paranoïde en logica verdragen elkaar niet, dus toen ze de jongens een dag later weer tegenkwamen in The Cross vonden ze het nog steeds volkomen terecht dat die waren weggerend als bankovervallers in een b-film.

Denvis vond Anna leuk, want spannend. Alles aan Anna straalde het heftige leven uit. Ze had een paar littekens in haar gezicht van een mislukte zelfmoordpoging, waarbij ze met haar auto tegen een muur was gereden. De auto had geen airbag, maar bleek toch veiliger dan ze had gehoopt. Iets spoorde er niet aan Anna, één blik in haar ogen voldeed om die conclusie te trekken. Het was alsof alles aan haar vrijblijvendheid ontbeerde, ook haar lieve kant.

Ze was op haar negentiende getrouwd en niet lang daarna weer gescheiden en vervolgens aan de drugs geraakt.

Nu was ze clean en in de Here. Zo gaat dat met die junkies: ook clean blijven ze verslaafd.

Denvis werd verliefd op haar. Ze neukten veelvuldig, wat tijdens de keren dat ze niet begon te huilen een genoegen was. Haar vrienden waren bepaald geen genoegen; ze dreven Denvis tot razernij met hun gedram. Toch bleef Anna hem meenemen naar mensen met boeken als *How Darwin Lied* in hun boekenkast. 'Dat wist ik niet,' zei Denvis dan zo sarcastisch mogelijk, 'dat hij loog.' Het was volkomen zinloos, dat wist hij al voor ze met de dwingende opwinding van de bekeerling begonnen te vertellen hoe Darwin in Urugay geen skeletten had gevonden, maar begraven.

Dit waren dezelfde mensen die Anna hadden laten vallen toen ze ging scheiden. Maar diep in hun hart deugden ze, vond Anna nog steeds.

Veel te diep dan, vond Denvis.

13

'Ik wil het vooral over je jeugd hebben,' zegt ze.

Ze heet Lilly, deze journaliste, en ze is in ieder opzicht kordater dan dat jongetje met de mp3-speler. Ze lijkt een beetje op Kate Pierson van The B52's, maar dan jonger. Ze is te dik om mooi te zijn, maar gedraagt zich alsof ze dat wel is, en Denvis vindt dat het haar daardoor behoorlijk lukt het toch te zijn. Hij weet niet of hij haar verschrikkelijk vindt of juist heel leuk, maar hij weet wel, twee minuten nadat ze de kleedkamer in is gekomen, dát hij iets van haar zal vinden. Ze heeft hem al twee keer onderbroken. Dat durven veel mensen na een hele dag nog steeds niet. Haar trucje – doorpraten, maar dan harder – irriteert hem, maar hij vindt het tegelijk cool.

Denvis kijkt haar verbaasd aan. 'Mijn jeugd? Dat treft, die is nog in volle gang. Maar waarom?'

'Het is voor een rubriek op onze blog die 'Story of my Life' heet. Naar dat nummer van Social Distortion, weet je wel.'

'Dat weet ik ja. Cool.'

'Mooi. Nou, vertel maar: hoe was het?'

'Wat?'

'Je jeugd.'

Denvis schiet in de lach. 'Een drama, mevrouw.'

'Echt?'

'Nee. Of ja, 't was ook niet alleen maar fijn.'

Alle zitplekken in de kleedkamer zijn bezet. Een paar mensen kent Denvis van eerdere edities van het festival, maar de meeste heeft hij nooit gezien. Ze hebben zich ook niet voorgesteld. Niet dat dat moet. Iedereen praat, een enkeling met stemverheffing. Het raam staat open, twee mensen blazen hun rook naar buiten.

Denvis wijst naar Lilly's opnameapparaat. 'Is het niet te lawaaierig voor je?'

'Eigenlijk wel. Is er nog een andere ruimte?'

'Ja, beneden. Die was twee uur geleden leeg. Even kijken of er plek is?'

Ze lopen de trap af. Halverwege komt hij de dealer tegen. Die knipoogt naar Denvis.

Hij opent de werkkamer. Leeg. 'Hier?'

'Is goed.'

Ze gaan aan de tafel zitten. Lilly legt haar minidiskspeler op tafel en schuift hem richting Denvis. Ze wijst naar de rode getatoeëerde ster op zijn hand. 'Gaaf.'

'Dank je.' Grappig: hij krijgt vaak opmerkingen over zijn tattoos, meestal over de schoppenaas op zijn onderarm, maar nooit over die op zijn hand, die oogt alsof hij in de loop der jaren langzaam is vervaagd, maar exact zo is gezet.

'Maar goed. Niet alleen maar fijn dus, die jeugd van je.'

Denvis grinnikt. 'Je komt snel terzake.'

'Daar probeer ik mijn vak van te maken.'

'Heb je haast of zo?'

'Ik niet. Maar jij had maar een uur, begreep ik.'

'Dat is een richtlijn van mijn management. Als het leuk is, heb ik langer.'

'Kijk 's aan. Wie doet je management?'

'Ik.'

Ze grinnikt. 'Niet fijn dus, zei je. Lag dat aan school?'

'Ook.'

'Wat voor school deed je?'

'De mavo, zo heette dan bij ons. En het was een kutmavo.'

'Is school niet altijd kut?'

'Het kan altijd kutter.'

'En daarvoor, de lagere school?

'Net zo kut.'

'Noem eens een voorbeeld van die kuttigheid.'

'Ik heb er wel duizend. Maar ik geef je er een. De moeder van een vriendje van me was bevriend met Ernst Jansz. Dat was de zanger van de populairste band van Nederland.'

'Hoe heetten ze?'

'Het is een Nederlandse naam. Vrij vertaald: Just do it. Ik was een enorme fan van die band. Nou, zij ging met haar zoontje bij hem langs. Bij hem thuis dus. En ik mocht niet mee van mijn ouders. Maar zij was zo lief om Ernst te vragen of hij misschien iets voor me wilde opschrijven. Dat deed hij, dus toen kreeg ik van haar een briefje waarop Ernst had geschreven dat het jammer was dat Denvis er niet was, maar dat hij een volgende keer zeker ook welkom was. Ik vertelde dat heel trots op school, maar de eerste jongen die het hoorde geloofde het niet en zei dat ik het had verzonnen. Dat geloofden de andere kinderen natuurlijk wel, en vervolgens werd ik gepest omdat ik verhalen zou verzinnen.'

Zo ging het ook toen hij een keer achterna was gezeten door een jongen met een stiletto. Denvis rende weg, een willekeurige tuin in, waar hij zich verstopte. Hij vertelde het op school, maar verzon erbij dat de bewoners van het huis hem binnen hadden gelaten, en dat hij ranja had gekregen. Een van de kinderen in zijn klas kende die mensen en vroeg het na. Werd hij daarmee gepest, met het verzinnen van dat hele verhaal, want dat van de stiletto geloofden ze nu ook niet meer.

Hij wist het ook niet, waarom hij die ranja erbij verzon. Misschien omdat hij had gewild dat het zo was gegaan.

Het was alsof ze hem allemaal moesten hebben. En dan vooral die kinderen van wie hij wist dat ze zelf ook niet bepaald boven op de apenrots stonden. Bartje, die thuis van zijn moeder slofjes over zijn schoenen moest aandoen, omdat de vloer anders vies werd. Pieter, die met zijn linkerwijsvinger onder een putdeksel was gekomen en een stukje ervan miste. Bram, die met zijn fiets tegen de SRV-wagen was gebotst en sindsdien mank liep, en bij gym niet hoefde mee te doen als er groepen werden gekozen, omdat het anders zo zielig was dat hij altijd de laatste zou zijn. Nu werd hij door de gymleraar bij voorbaat bij een groep ingedeeld. Bram, de ongewilde bonus. Eigenlijk was dat nog zieliger, vond Denvis.

Alles aan zijn lagere school was doorsnee. Het gebouw was niet bijzonder en dat gold ook voor iedereen erin. Het normale leven voor en door normale kinderen – gestold in baksteen.

Als hij op school vertelde wat hij allemaal deed en zag in jongerencentrum Poervoe keken ze hem glazig aan, of maakten ze flauwe grappen, want de wereld van Poervoe was het tegenovergestelde van alles wat zijn klasgenoten ooit meemaakten – zover er in hun leven überhaupt iets gebeurde. Zijn klasgenoten vonden Denvis maar een rare, en vergeleken met hen was hij dat ook, zij waren immers zo ongelooflijk normaal en saai dat iedereen met enige verbeeldingskracht er als raar bij afstak. Zijn vriendje Pepijn zouden ze ook raar hebben gevonden, maar die zat hier dan ook niet, die zat dan ook in Eindhoven op een vrije school. Pepijn was allesbehalve saai, zijn moeder had nota bene met Ernst Jansz op een boerderij gewoond, en nu woonde hij met zijn moeder in een groot tuinhuis bij andere mensen in de tuin. Het was een Anton Pieck-achtig huisje, dat eruit zag alsof je het kon opeten. Zo iemand zat op een vrije school, waar aandacht was voor zelfontplooiing, en kunst. Waar tekenen en handvaardigheid veel meer waren dan verkapte tussenuren. Bijvakken die vooral dienden om te ontladen tussen twee echte vakken in. Op een gewone school, en zeker op die van Denvis, zaten geen kinderen die Pepijn heetten; hun ouders vonden dat een rare naam, en praatten hun kinderen aan dat je niet moest opvallen maar gewoon zijn als de anderen, dat je je niet moest aanstellen want aanstellers waren het ergste, en alle mensen die zich meer lieten gelden dan anderen waren aanstellers.

Dat zijn ouders niet snapten dat hij er niets te zoeken had, dat hij alles was en wilde zijn waar die school de makke massa tegen waarschuwde en voor behoedde, dat kon Denvis alleen terugbrengen tot een banale onwil van zijn ouders dagelijks de langere afstand naar de vrije school in Eindhoven te rijden.

Op een dag kwam hij op school en hing er een spanning in de klas. Hij voelde meteen dat het om hem ging. Hij had achter iemands rug geluld, werd er gezegd. Niemand kon hem vertellen achter de rug van wie, of waarover, maar hij had achter iemands rug geluld en daarom zou hij opgewacht worden. Hij begreep er niets van, maar hij had zowel de aanklacht als de zitting gemist, zoveel was hem duidelijk, en het vonnis zou voltrokken worden.

Tot de beul was tot Denvis' teleurstelling Antoine verkozen, iemand met wie hij over het algemeen best goed kon opschieten. Maar de denker van de klas was hij bepaald niet, dus als een paar mensen stevig op hem hadden ingepraat, kon Denvis 't wel vergeten Antoine nog op andere gedachten te brengen. Heel sterk was Antoine niet, maar wel heel zwaar. Als je hem kwaad wilde krijgen, moest je hem dik noemen.

Door snel te gaan huilen wist Denvis het aantal klappen nog minimaal te houden, maar een dag later stond Antoine hem opnieuw op te wachten. Nog voor die de eerste klap kon uitdelen, gaf Denvis hem een harde duw, waardoor Antoine in de bosjes viel. Hij schrok zich rot, en Denvis eigenlijk ook. Effectief was het wel; Antoine stond hem daarna niet meer op te wachten. Maar de reactie van zijn klasgenoten was een andere dan Denvis had verwacht: de kinderen negeerden hem opeens volledig, en dat bleken ze bovendien van de vijfde tot helemaal aan het eind van de zesde klas vol te houden. Denvis was hun taboe geworden. De Janmaat van het schoolplein.

Pas in het zesde jaar van zijn lagere school stond een evenement centraal dat iets te maken had met creativiteit: de eindmusical. Het leek Denvis een vanzelfsprekendheid dat hij de hoofdrol kreeg, als de enige in zijn klas die niet meteen braakbewegingen maakte en vieze gezichten trok bij het horen van het woord 'musical' alleen al, maar uitgerekend op een dag dat hij niet op school was, werd de hoofdrol verloot – verloot, uiteraard, want in het nivellerende klimaat van de school past alleen de wedstrijdvorm waarbij dom toeval de dienst uitmaakt, en niet talent of voorkeur – en won een meisje de rol van balletmeester. Bij wijze van goedmaker mocht Denvis zelf een rol selecteren uit het rijtje overgebleven rollen, maar hij weigerde ze allemaal. Uiteindelijk haakte het meisje af en mocht Denvis alsnog de balletmeester spelen. De lol was er goeddeels af.

Hij was blij toen hij naar de middelbare school ging, bovendien eentje waar nauwelijks iemand van de lagere school op zat. Maar in de laatste week op de lagere school, toen de hele klas naar Antwerpen ging, naar de dierentuin, flikte Bartje het om tegen Roger – die wel naar dezelfde school ging - te zeggen dat hij dadelijk, na de vakantie, op de nieuwe school meteen Denvis in elkaar moest slaan. En Roger, die meeloper aan wie iedere leraar wel een keer vroeg 'En als zij in de Maas springen, doe jij dat dan ook?', die Roger stond hem in de eerste week op de mavo al op te wachten.

Toen Denvis de school uit liep, over het plein richting het hek, had hij het gevoel dat hij zijn ergste nachtmerrie tegemoet trad. Het gevoel in zijn buik leek de optelsom van naar de tandarts moeten en thuiskomen in de wetenschap van straf. Dat dikke jaar als de paria van de lagere school had hij volgehouden dankzij het vooruitzicht van een nieuwe school met nieuwe mensen om hen heen en een nieuwe status voor zichzelf. Al die dagen waarop hij over het schoolplein liep tussen allemaal groepjes waar hij niet bij hoorde, had hij zichzelf voorgehouden dat straks alles anders zou worden, en beter ook.

En toen hij over het plein van de mavo wandelde, en achter het hek Roger zag staan, die domme aap, met om hem heen een groep ramptoeristen, wist hij dat het helemaal niet anders zou worden. Het zou gewoon doorgaan, met nieuwe mensen om hem heen, maar hij in dezelfde positie, als de beproefde schlemiel in een vervolg. Iedere klap die hij nu ging krijgen, zou een schop boven op zijn hoofd zijn die hem verder de grond in trapte. Voor iedereen die nu getuige was, zou hij de nieuwe loser zijn, en iedereen die geen getuige was, zou het morgen horen, in een opgeblazen versie van het verhaal.

Vier jaar zou dat duren. Vier jaren van verschrikking. Het galmde door zijn hoofd als een soundbite tijdens een verkiezingsspeech: vier jaar, vier jaar. En hoe dichter hij bij het hek kwam, hoe meer de moedeloosheid plaatsmaakte voor woede, een woede met de afmetingen van een furie. Hij had geen plan, geen voornemen, geen scenario, niets van dat alles had hij in zijn hoofd toen hij de stoep voor de school op stapte en Roger op hem af liep. Om hem heen stonden mensen te lachen met de gretigheid van een sadist.

Roger wees naar hem en zei: 'Hé, gij, ge...'

Verder kwam hij niet. Na 'ge' ging Roger neer door een uithaal zo hard als Denvis alleen kende van tv, van tennissers of honkballers bij een opslag. Zijn handen waren vuisten geworden en Denvis kon zich niet eens herinneren ze te hebben gebald. Een voor een daalden ze op Rogers hoofd neer, in een salvo van meppen, slagen, hoeken, klappen en tikken. Roger reageerde niet, hij onderging het verbijsterd, alsof hij werd overreden.

Een dubbele bloedneus, een bloedlip, een tand los, twee blauwe ogen. Dat was Roger dertig seconden na 'ge'. En het was Denvis' vrijkaartje voor vier jaar mavo zonder ooit nog gepest te worden.

Na de val van Roger groeide Denvis' zelfvertrouwen tot volgens zijn leraren en ouders soms overdreven hoogte. Hij had een grote mond tegen leraren, schopte er een toen die hem een trap onder zijn kont wilde geven, schreef de langste schorsing uit de geschiedenis van de mavo op zijn naam (een week en een dag – vanwege het op de deur van de directeur plakken van een sticker met de tekst 'De directeur is een lul'.)

Een keer had hij zelf nog klappen uitgedeeld, aan de jongen die voor de grap Denvis' leren stropdas kapot knipte. Die hoorde bij zijn zondagse kleren. Volgens Marlous was het niet zo stoer om dit laatste er ook bij te zeggen.

Dat zijn zus op dezelfde school zat was de reden dat Denvis op deze mavo terecht was gekomen. En dat Marlous er zat kwam omdat deze mavo het dichtst bij huis lag. Opnieuw had afstand de doorslag gegeven.

Het was een school die bekend stond als een oord voor asocialen. De leraren waren onuitstaanbaar streng, maar ze moesten wel. Leraren waren vaak ziek. Dan kwam er een invaller, en die hield het zonder uitzondering binnen een week voor gezien. Het werd een spel: die week verkorten tot een dag. Wie als invaller ook maar iets van zenuwen liet blijken, werd afgemaakt. Handen die in zakken wanhopig zochten naar steun, een overslaande stem: vaak zat in de eerste minuut van de invaller al het startsein tot zijn ondergang besloten. Geen collectief zo bloeddorstig als een kwaadwillende schoolklas.

Aan het hoofd van dit alles stond een directeur die was

aangeklaagd vanwege seksuele intimidatie, omdat hij, zo was de lezing op het schoolplein, meisjes in hun tietjes had geknepen. Dat vond men zelfs hier schandalig; zoiets deed normaal alleen een badmeester.

Zo ongeveer iedereen rookte, en geblowd werd er ook. In het fietsenhok kon je soms aan een waterpijp lurken. Geregeld klonk er een luide knal over het plein voor de fietsenstalling: een strijker. Dat wende snel. Schrikken deed iedereen pas toen er op een dag een veel hardere knal klonk en de ramen trilden. Het was de eerste molotovcocktail op het plein, en het zou vast niet de laatste zijn.

14

Een promotiemedewerker van zijn platenmaatschappij stuurde ooit een persbericht rond, met daarin de zin: 'Denvis had een moeilijke jeugd. Zijn vader dronk. Zijn moeder at.' Vervolgens belde hij op, met een stem ergens tussen paniek en angst, dat het hem zo speet, want hij had van een collega net gehoord dat Denvis' vader echt een alcoholprobleem had, iets wat hij echt – echt, hij zwoer het! – niet wist, want dat hij anders natuurlijk nooit, uiteraard nooit, die zin erin zou hebben ge... – Denvis had hem opgehangen: het was al goed. Sterker, als het niet waar was geweest, had hij zoiets zelf vast wel eens verzonnen, bij wijze van rockcliché.

Hij heeft in interviews wel vaker over zijn jeugd gepraat en noemt die dan zonder aarzeling, afhankelijk van zijn bui op dat moment, ergens tussen 'soms best moeilijk' en 'moeilijk' in.

Lilly vraagt nu ook hoe het thuis was. Hij denkt een seconde na, en ze stelt er meteen een vraag bovenop, alsof ze hem wil helpen, wat ze niet echt doet, want het zijn twee verschillende vragen – maar sommige mensen kunnen nou eenmaal niet tegen stilte, zelfs niet als die maar een seconde duurt. 'Welke herinnering overheerst?' is haar tweede vraag.

Denvis zegt: 'Wij samen aan de eettafel.'

Ze vraagt: 'Met zijn vieren?'

Denvis zegt: 'Ja, of met zijn drieën. Dan was mijn vader er niet, en als hij er niet was wist iedereen aan tafel het al. Dan zat hij weer in de kroeg.' Hij zegt opeens, ook tot zijn eigen verbazing: 'Nu we het daar toch over hebben: wil jij nog iets drinken?'

Lilly wil bier.

Denvis loopt de kamer uit, de trap op, terug naar de kleedkamer. Die puilt uit. Alle organisatoren zijn er inmiddels, en de leden van de band ook. Ze begroeten hem hartelijk, en omhelzen hem. Ze vragen of hij er al lang is. Hij zegt: 'Al een paar uur. Ik zit beneden met een journaliste. Interview.' Hij loopt naar een van de twee koelkastjes en pakt er twee flesjes bier uit. Hij kijkt op de grote klok in de kleedkamer. Kwart voor zes.

'Hoe laat gaat de zaal open?' vraagt hij aan de gitarist.

'Half acht al. We beginnen eerder dan normaal. Om halfnegen. Met 'Creep'. Hij lacht hard.

Denvis moet ook lachen. De vorige keer dat hij hier was, een halfjaar geleden, stond er een meisje in het publiek dat 'Creep' van Radiohead meezong, zo laag dat het leek alsof ze gruntte.

Het was niet een beetje vals, het was werkelijk godgeklaagd vals. Haar vrienden joelden haar toe, de rest van de zaal joelde haar uit. Dan moet je het bont maken tijdens Karaoke from Hell, want iedereen heeft hier, ongeacht prestatie, de sympathie van het publiek, dat meeleeft uit de gedeelde ervaring alleen op dat podium te staan, of uit bewondering voor wat ze zelf niet durven. Het meisje stuurde een dag later nog een mail naar de organisatie, om te melden dat haar vrienden hadden gezegd dat de band te laag speelde. Als het misgaat, ligt het altijd aan de band.

Denvis heeft een stuk of vijf van die avonden meegemaakt, en misschien wel tien keer 'The Ace of Spades' horen langskomen, want iedereen die naar deze avond komt, wil eigenlijk Lemmy zijn. En nog wel vaker heeft hij dat kutnummer van Rage Against The Machine gehoord, waarvan hij de titel niet eens weet, maar dat hij altijd 'I Won't Tell What You Do Me' noemt. Bezoekers die dat nummer zingen, hebben zich zonder uitzondering voorgenomen heel erg boos te zijn. Sommigen vergeten zelfs te zingen, die staan alleen maar vier minuten schuimbekkend te stampvoeten.

Anderen lijken alle poses die ze in drieënhalve minuut kunnen verwerken, van tevoren te hebben bedacht, opgeschreven en geoefend. Die staan op het podium alsof hun choreograaf vanuit de zaal aanwijzingen geeft.

Hij kijkt er altijd met enige verbazing naar. Over zijn eigen podiumpresentatie heeft Denvis nooit nagedacht, die is ontstaan uit een combinatie van goed naar de juiste voorbeelden kijken, af en toe iets uitproberen waar hij zelf graag naar zou hebben gekeken als hij in het publiek zou staan – en bij succes daar een paar scheppen bovenop gooien. Voor een van zijn eerste optredens met The Wankalots kocht hij bij een feestwinkel nepbloed dat hij vlak bij zijn oog stopte. Een tik met de microfoon en het zag eruit alsof hij uit zijn oog bloedde. Ongeveer op dat moment haalde hij zijn lul uit zijn broek. De combinatie van een bloedend oog en een rondzwaaiende lul sprak tot de verbeelding, merkte Denvis, het was alsof mensen er enige onderlinge samenhang in vermoeden.

Daarna kocht hij een golfclub, waarmee hij al zingend in het rond sloeg. Toen dat begon te wennen trok hij er golfschoenen bij aan. Met rock 'n roll had het niks te maken, daarom was het rock 'n roll – of zo.

Hij heeft altijd gehouden van mensen die zich niet gewoon op hun gemak voelen op een podium, maar er lijken te willen wónen, die geilen niet zozeer op zichzelf maar wel op aandacht voor zichzelf - en die daarvoor uitkomen.

Denvis opent zijn eigen flesje, tikt dat tegen dat van de gitarist en loopt de kleedkamer uit, de trap weer af.

15

Hij zet het flesje bier voor haar op tafel. 'Alsjeblieft.'

'Dank je.'

Hij neemt een slok. Ze kijkt ernaar, en wijst naar zijn fles. 'Jij drinkt dus wel?'

'Hoezo?'

'Nou, omdat je vader teveel drinkt.'

'Dronk.'

'Sorry, dronk.'

Denvis zwijgt.

'Maar jij kunt het wel bij een paar biertjes houden?'

'Ik doe mijn best. Waar waren we gebleven?'

'Die band waar je het over had, die Nederlandse band, waarvan je de zanger niet mocht ontmoeten. Is dat een soort jeugdtrauma?'

De formulering irriteert hem ergens. Een schaamteloze zoektocht naar sentiment, met de zweem van willekeur. Toch geeft hij meteen antwoord.

'Het grappige is dat die band wel een symbool is geworden voor het onbegrip van mijn omgeving en vooral het onbegrip van mijn ouders voor alles waar ik zelf warm voor liep.'

Hij vertelt over de keer dat Pepijn en zijn moeder samen naar een concert van Doe Maar gingen. Denvis mocht mee.

Hij hoeft geen enkele moeite te doen het terug te halen, de combinatie van machteloze razernij en verdriet toen hij enthousiast de trap af rende om het zijn ouders te vertellen, en zijn moeder zei dat hij mooi maar eens een zondag thuis bleef. De manier waarop ze het zei: mooi-maar-eens-een-zondag-thuis. De toon waarmee leraren zeiden dat gewoon al gek genoeg was. Het leverde het type verdriet op dat medelijden met jezelf voortbracht. Het was de onredelijkheid die hem tegenstond, de botte stilte op de vraag waarom. Gewoon. Daarom. En toen zijn verdriet groter bleek dan verwacht: de valse troost. Dat ze echt nog wel een keer zouden optreden. Als een slachtoffer van iémand geen troost wil, is het wel van zijn beul. Toen dacht hij nog dat vast een rol speelde dat zijn ouders het een rare vrouw vonden, die moeder van Pepijn. Zo'n hippie die graag naakt door haar tuin liep. Daar hielden ze niet van.

Inmiddels denkt hij, dat er waarschijnlijk weer zo'n ongelooflijk spanning in huis hing, die hij op dat moment had gemist, omdat zijn ouders zo hun best deden die te verbergen. Dat was vast nobel bedoeld, maar wat kocht hij voor die nobelheid als hij de consequenties van die spanning alsnog op zijn bord kreeg?

Lilly zegt opgewekt dat als dit zijn grootste trauma was, hij toch een mooie jeugd heeft gehad.

Snapt ze er dan niks van? Het gaat niet om de strengheid, zo streng waren zijn ouders goed beschouwd niet eens, het gaat om de inconsequentie van die strengheid, de willekeur ervan die voortkwam uit een gebrek aan begrip voor hoe hij werkelijk in elkaar stak.

Zijn neef Bart mocht bij Denvis' favoriete oom Leon blijven slapen, Denvis niet. Waarom niet? Hij had geen idee, en zijn ouders waarschijnlijk evenmin.

Op de camping waar ze vakantie vierden gaf zijn ome Leon clownslessen aan kinderen. Toen hij tijdens de zomervakantie een echte tournee langs andere campings had geregeld, zei Denvis' moeder dat Denvis maar mooi op hun eigen camping bleef, want daar was genoeg te doen. Die laatste toevoeging dreef hem tot razernij. Alsof haar genoeg en zijn genoeg hetzelfde waren. Ze leken niet eens op elkaar.

Ome Leon had in zijn woonkamer een pot wiet staan, met de vanzelfsprekendheid waarmee anderen een schaal M&M's op tafel zetten. Denvis blowde al vanaf zijn elfde. Hij had stiekem een lucifersdoosje meegenomen en toen ome Leon ging plassen, haalde hij dat door de pot wiet. De jongens van de judoclub hadden hem uitgedaagd: durfde hij dat, een beetje van die wiet meenemen naar de training? Toen hij met zijn judovriendje naar de club fietste, het volle lucifersdoosje in zijn broekzak, bedacht hij zich. Hij leek wel gek, waarom zou hij zijn wiet uitdelen aan die stakkers? Met zijn judovriendje draaide hij een slordige, dikke joint, en samen rookten ze die op. Op de club vertelde hij dat het niet gelukt was bij zijn oom.

Hij leegde het lucifersdoosje in een lade van zijn bureau, samen met een pakje vloeitjes. Soms rookte hij ervan, maar het duurde twee jaar voor daar regelmaat in kwam. Toen was wiet alweer uit en hasj in.

De belangrijkste promotie voor wiet was 'Nederwiet', dat magische nummer van Doe Maar, gezongen door Joost Belinfante, niets minder dan een liefdeslied voor een plant, dat u nieuwsgierig maakte: je er zelfs naar deed verlangen, al kon Denvis zich weinig voorstellen bij het bezongen effect ervan. En dan heette die plaat nog *Skunk* ook.

Elf was Denvis toen hij naar hun afscheidsoptreden ging, hij was de enige van zijn lagere school die mocht. Na de twee eerdere Doe Maar-drama's hadden zijn ouders wel door dat hij zou weglopen van huis en niet alleen nooit meer zou terugkomen, maar zelfs nooit meer zou bellen als hij hier niet heen mocht. Het voordeel van een afscheidsconcert was dat het eeuwige 'ze treden nog wel een keer op' geen argument voor een verbod meer was.

Hij had in Poervoe ook al concerten gezien. Een keer zelfs van een man die zijn lul op het podium liet zien. Hij haalde hem uit zijn broek en zwaaide ermee, als een lasso van vlees. Inspirerend, vond Denvis.

In Poervoe, die prachtige boerderij naast het huis van zijn oom en tante zag Denvis het ware leven. Het werd zijn symbool voor een wereld voorbij de norm. Vrijwel alles wat het leven de moeite waard maakte, begon in Poervoe.

Het was daar waar hij, eerst, vooral en bovenal, de tieten

van Mieke zag, de zangeres van de Gigantjes. Een luik in het huis van zijn oom en tante kwam uit in de kleedkamer van de zaal. Het lieve jongetje met de blonde krullen dat in zijn pyjama door een gat in de muur de kleedkamer in klom, liet Mieke gewoon zitten terwijl ze zich omkleedde.

Wat waren ze groot en mooi en groot en sexy en groot. Hij wilde ze niet zien, hij keek de andere kant op, maar toen hij zich wegdraaide keek hij recht in de spiegel en zag ze alsnog. Een monument voor de tiet waren ze, niets minder. Fay Lovsky zag hij er ook, maar dan niet haar borsten.

Wat er ook in Poervoe gebeurde, het trok hem aan. Het leek de doorgang naar het grote leven buiten. Alleen de kermis wist datzelfde gevoel op te wekken. Dagen bracht Denvis op de kermis door. Vooral in zijn lievelingsattractie de Jimmy, waar hij zo vaak in en uit ging dat zijn middagkaart helemaal was afgesleten zodat ze dachten dat het een dagkaart was. Hij was blij dat ze de goede Jimmy hadden, die van de firma Hoefnagels uit Helmond, met een lopende band. Je had ook een andere, die had trappen in plaats van een band, en dat vond Denvis niks. Het kaartje moest je laten zien aan een man met een verschrompeld handje. En uitgerekend in dat handje moest het kaartje. Denvis vond het een enge man, vanwege dat handje, maar tegelijk vond hij dat als enge mannen ergens moesten werken, dat dan inderdaad op de kermis zou moeten zijn.

Tijdens een actiedag voor El Salvador glipte Denvis Poervoe binnen en op het grote scherm zag hij een film vol beelden van martelingen, sneuvelende soldaten en rebellen. Na drie kwartier kwam zijn moeder de zaal binnengestormd en trok hem aan zijn oren naar buiten, terwijl ze 'Hier komen, gij!' riep. Niet lang daarna stond er over datzelfde onderwerp iets in de krant, toen enkele journalisten van de Ikon waren doodgeschoten. Er stond een foto bij van een van hen in het mortuarium. Hij had zijn ogen open en op een vreemde manier was het een mooie blik. Heel rustig keek hij. Denvis knipte het stuk uit de krant en bewaarde het in een schoenendoos. Eigenlijk vond Denvis dat hij er niet naar mocht kijken, maar hij bleef het uit de schoenendoos halen en er naar staren.

Hij wilde er meer dan alleen maar komen, in Poervoe, hij wilde erbij horen, en er dus voor werken.

Hij bedacht musicals en hielp met het organiseren van activiteiten, maar eigenlijk maakte het hem niet uit wat er te doen was, of wat hij moest doen. Als hij er maar was. Van glazen spoelen werd hij al blij, want dan stond hij bij de bar, waar het allemaal gebeurde, en zo niet, dan leek er in ieder geval ieder moment iets te kunnen gebeuren. Daar stond hij, op een kratje, zodat hij erbij kon en alles kon zien.

Op het jaarlijkse Poervoe-tuinfeest verdiende hij bonnen, en iedereen gaf hem extra, zodat hij op het eind van de avond met een zak vol bonnen rondliep en zichzelf heel stoer vond, als een maffiabaas met zijn broek bol van de geldbriefjes. Het jaar erna waren ze niet meer geldig en inruilen voor geld kon niet, dus ze moesten op, die bonnen, dezelfde avond nog. Dat was niet te doen, maar hij kwam tot een hamburger of vijf en een braadworst of tweeënhalf, zodat de avond eindigde met buikpijn. Het was de buikpijn van de overdaad, maar zelf verdiend, dus een trotse buikpijn.

Ome Leon snapte dat allemaal, die snapte hoe hij was. En wat hij niet was. Een studiebol, bijvoorbeeld, of een voetballer. Als hij voetbalde, schopte hij het liefst tegen de grond en in het gras, om te kijken of er wormen omhoogkwamen. Of hij zocht klavertjes vier. Het was niet zo raar dat hij vaak op de bank werd gezet. Denvis snapte dat hele spel gewoon niet. Alleen koppen kon hij goed, omdat hij dat durfde. De lompe dingen, daar was hij goed in.

Denvis hield van gek, van raar, van een beetje vies, niet van saai of macho.

Op zijn elfde mocht hij Pietje zijn, een kleine Zwarte Piet. Hij vond Sinterklaas geweldig. Kerst vond hij ook leuk, al miste hij dan de cadeautjes en werd hij lamlendig van het binnen zitten. Naar buiten wilde hij, altijd. Vanaf het moment dat hij kon fietsen, fietste hij het hele dorp rond. Hij belde bij vreemden aan en vroeg ze om snoep. Aan het eind van de straat woonden nonnen in een huis. In hun woonkamer stond een orgel. Als hij er was, stonden ze om hem heen en zongen ze samen. Daarna kreeg hij snoep.

Hij was geen overtuigend Pietje, tijdens het Sinterklaasfeest, omdat hij tranende ogen van de kou kreeg. Een Zwarte Pietje met witte vegen van het huilen, dat was hij.

Toen iedereen op school fan was van Kiss, had ook Denvis zijn kamer volhangen met Kiss-posters. Adam and the Ants vond hij ook te gek: die droegen make-up en gekke kleding en iedereen vond ze stoer.

Marlous en Denvis kregen een pakketje van zijn tante uit Canada. Marlous maakte het open en pakte er een meisjesshirt uit met een kleurenfoto van de vier bandleden erop, en die gave letters erboven. Ze pakte het tweede shirt eruit en vouwde het uit. Toen ze het omhoog hield, dacht Denvis even dat zijn hart oversloeg. Er stond een kindertekening op van een boerenjongetje met een grasspriet in zijn mond, eronder het woord 'Countryboy'. Zo'n fout zou ome Leon nooit maken.

Om de zaterdag mochten Denvis en een paar andere kinderen langskomen bij ome Leon. Eerst was dat iedere zaterdag, maar ome Leon had uitgelegd dat dat toch een beetje te zwaar voor hem was. Op die zaterdagen had ome Leon van alles voor ze georganiseerd, en dat kostte hun dan een gulden. Of nou ja, ze moesten hem bij aankomst een gulden geven, en al die guldens gingen in een potje en daarvan kochten ze dan iets geks.

Ome Leon was precies zoals Denvis later ook wilde worden. Hij werkte als etaleur en stylist, en verdiende daar genoeg geld mee om de helft van zijn tijd op reis te zijn. Denvis' ouders vonden dat maar vreemd, dat wist Denvis, want als ome Leon vertelde dat hij weer op reis ging zeiden ze dat hij toch net terug was van de vorige. Als Denvis iets deed wat zijn ouders raar vonden, zeiden ze: 'Hij is net Leon.'

Alleen dat huis van hem al. Apenkooi met een dak erop.

Boven in zijn huiskamer had hij een groot net gespannen, met matjes erin. Daar mochten ze in liggen. Midden in de huiskamer stond een drumstel, naast de tafel stond een saxofoon. Ome Leon droeg een roze overall, had nooit een onderbroek aan en af en toe lag hij in bed met een blote vrouw. Altijd een andere. Hij reed in een Triumph Spitfire. Achterin was het heel krap en kon je door de harde wind niet verstaan wat ome Leon zei. Ome Leon haalde ijs, ome Leon knuffelde, ome Leon bedacht altijd gekke spelletjes. Dan sloegen ze eieren op elkaars hoofd kapot, of sprongen ze vanuit het luik in het dak van zijn woonkamer naar beneden op een berg kussens. Ze bedachten moppen en toneelstukjes, en toen Denvis' televisiehelden Ham en Hoppa kwamen optreden in Poervoe, mocht het clubje van ome Leon het voorprogramma doen.

Daarvoor hingen ze het podium vol met de netten uit ome Leons woonkamer, sprongen daaruit, poetsten hun tanden met zwarte tandpasta en eindigden het optreden met het eten van erwtjes met chocoladepasta. En toen vroeg iemand van welk merk die erwtjes waren. Bij het woord 'Iglo' vielen ze allemaal neer en bleven ze voor dood liggen. Applaus.

Denvis vond het heerlijk, op het podium staan. Ongeacht wat hij daar deed. Bij een optreden van een volksdansclub in Poervoe had hij eens op het podium gestaan om alleen maar een bordje met de naam van de club rond te draaien.

Zelfs dat was leuk.

Zijn zus deed dat soort dingen niet. Ze was heel serieus. In al zijn herinneringen was ze dat, hoe ver die ook teruggingen. Hij had wel eens gedacht dat ze als volwassene was geboren. Ze was drie jaar ouder, maar het leken er twintig. Denvis vond ze kinderachtig, dat was hem altijd wel duidelijk geweest. Onvolwassen. En strontvervelend, vaak. Tegelijk leek ze het ook zielig te vinden dat zijn vader zich altijd afreageerde op hem – al moet ze daar ook opgelucht om zijn geweest, omdat zij het dan zelf niet was. Maar dat liet ze nooit merken. Dat hing vast ook met die volwassenheid samen.

Klaarblijkelijk irriteerde hij zijn vader heel vaak, want af en toe werd die niet gewoon kwaad op hem, maar ontplofte hij werkelijk van een woede die meer was dan de woede van het moment; het leek eerder de apotheose van een kennelijke opeenstapeling van vele ergernissen die Denvis zelf stuk voor stuk waren ontgaan. Toen ze een keer op vakantie in Luxemburg waren en de zoveelste lange wandeling maakten, kón Denvis niet meer, zodat zijn moeder zei dat hij best even lekker op een muurtje mocht zitten. Dat deed hij, en hij dacht dat ze hem op de terugweg weer zouden oppikken. Maar aan het eind van de straat vroeg zijn vader aan zijn moeder waar Denvis was. Ze zei dat hij op een muurtje zat. Zijn vader kwam terugrennen, en toen hij 'Wel, nondeju' riep stond snel Denvis op. Zijn vader schopte hem keihard onder zijn kont, voor de ogen van een vol terras, en nog een keer, en nog een keer, bij iedere stap een trap.

Zijn vader werkte aanvankelijk in de kippenslachterij van ome Anton, de man van zijn zus.

Hij was geen chef, maar ook niet een gewone kippenslachter, hij was iets ertussenin, iets wat bij andere bedrijven een voorman zou heten. Zijn moeder maakte schoon in een kroeg, werkte in een peuterspeelzaal, haalde post op als koerier, werkte als schoonmaker op een school voor moeilijk opvoedbare kinderen, deed boodschappen voor Denvis' oma, wandelde met de hond: ze deed alles, behalve stilzitten.

Wat zijn vader leuker leek, had hij wel eens gezegd, was in een broodjeszaak werken. Dus toen er op een dag een nieuwe openging in Mierlo, vond hij dat hij dat maar eens moest proberen. Hij vroeg ome Anton of hij een paar vrije dagen mocht opnemen, omdat hij in een broodjeszaak wilde werken. Ome Anton zei dat dat kon, als hij dan ook maar meteen voorgoed wegbleef.

Toen zijn vader zijn baan in de kippenslachterij verloor, ging het met het drinken snel slechter. Nu zat hij ook door de week 's avonds in de kroeg. Zijn vader had anderhalf jaar in dienst gezeten. Daar had hij het geleerd, had hij Denvis wel eens verteld, zuipen. Iedereen zoop daar, en veel ook. Alleen, dacht Denvis toen zijn vader dat vertelde, ging niet iedereen daar na dienst ook mee door.

Soms kaartte zijn vader met zijn vrienden, maar soms zat hij gewoon aan de bar, uren, in zijn eentje, zonder een woord te zeggen, met vier krukken verderop iemand die ook niks zei en maar een beetje staarde. De paar keer dat

Denvis in die kroeg was geweest en naar die mensen had gekeken, had hij gedacht: zo zien ze er dus uit, oncreatieve mensen. En zo eindigen ze.

Je kon er ook tosti's eten, maar dat deed waarschijlijk niemand. Denvis had er wel eens een gekregen en hij vond ze niet te vreten. Ze gingen uit het plastic folie het ijzer in, en daar kwamen ze dan óf veel te snel uit, zodat de kaas nog niet eens was gesmolten en nog helemaal hard was met een paar zweterige druppeltjes erop, óf ze kwamen er volkomen geblakerd uit, waarbij het verschil tussen de korst en de rest van het brood was verdwenen omdat alles hard was geworden.

Soms ging Denvis zijn vader halen in die kroeg. Een keer dacht hij een grap over de situatie te kunnen maken.

'Kom op, zuiplap, we gaan naar huis, eten,' riep hij lachend, op het moment dat hij de kroeg binnenliep.

De klappen gloeiden een paar dagen na.

Niet alles wat iedereen al wist, kon blijkbaar ook worden uitgesproken.

Als Denvis aan zijn vader dacht, dacht hij aan Remi uit *Alleen op de Wereld*. Zijn vader was een dromer, maar een dromer zonder daden. Aan wat hij wel deed, in de kroeg zitten, leek hij geen enkel plezier te ontlenen. Wat hij had gewild, was een eigen zaak, maar daar had hij het lef niet voor. Wat resteerde was een ongelukkige man, zonder de troost van het vooruitzicht op meer dan dit.

Denvis had ook wel een vermoeden hoe dat kwam. Hij wist dat zijn vader zijn moeder op zijn negende was kwijtgeraakt. Dat hij door een alcoholistische vader soms dagen alleen werd gelaten in een koud huis, met alleen wat aardappelen en vet om ze in te bakken. Hij wist ook dat het de leraren op de school van zijn vader was opgevallen dat hij verwaarloosd werd, waardoor hij uiteindelijk uit huis werd geplaatst omdat zijn vader en zijn nieuwe vrouw – met wie hij een huwelijk had dat alleen maar standhield omdat het ooit was begonnen – kennelijk niet voor hem zorgden, en dat daarna een rondgang langs pleeggezinnen begon die vaak nog erger waren dan zijn ouders.

Zijn moeder had dat wel eens verteld, jaren geleden, van dat gebrek aan verzorging. Toen begrepen Denvis en Marlous waarom hun vader vroeger altijd iets zei van hun vieze nagels of kleren, waarom hij altijd zei dat ze een zakdoek bij zich moesten dragen, en waarom hij ze onder de douche zo hard en lang schoonschrobde dat het pijn deed.

Zijn moeder had ook verteld over hoe zijn vader door de kinderen in het dorp werd nageroepen omdat vrijwel zijn hele familie vast zat. Opa zat vast vanwege illegale kippenhandel, ome Reinier vanwege gewapende overvallen en ome Hans zat op een extra bewaakt internaat omdat hij altijd vocht.

Denvis wist het allemaal. Soms had hij daardoor met zijn vader te doen. Soms ook niet, dan vooral met zichzelf.

Een tijd lang zat zijn vader thuis met een uitkering, toen ging hij werken voor Boek en Plaat, als vertegenwoordiger. Dat klonk wel chique, al betekende het gewoon dat hij bij mensen moest aanbellen om ze een aanbieding te doen waarbij ze eerst een paar boeken en platen gratis kregen die ze altijd al wilden hebben om vervolgens jarenlang te moeten betalen voor boeken en platen die ze nooit hadden gewild omdat ze niet konden kiezen en de mensen van Boek en Plaat dat dan voor hen deden. Weer iemand erbij met *Brothers in Arms* in de platenkast.

Denvis wist dat veel van zijn vaders collega-vertegenwoordigers een alcoholprobleem of een gokverslaving hadden, of allebei. Een stimulerend milieu was het niet, daar had zijn vader opnieuw voor gezorgd.

Dat liep na een tijdje weer af, zo'n baan, en dan kwam er weer iets anders – of niet.

Dat waren de zwaarste periodes, die waarin zijn vader geen werk had. Niet vanwege het feit dat hij nog meer ging drinken, maar juist vanwege de andere momenten: die waarop hij thuis was. Het was alsof hij uit schuldgevoel over het feit dat hij zich al die jaren zo weinig met zijn kinderen had bemoeid, had besloten voorlopig niet anders te doen dan precies dat.

Erger nog dan de vader die er nooit is, merkte Denvis al snel, is de vader die er altijd is, die alles ziet, beloert, in de gaten houdt en becommentarieert. Opeens zag zijn vader wie zijn zoon was en wat die zoal deed en naliet – en het leek hem allemaal geenszins te bevallen. Zelfs als hij aan tafel zat en langer staarde naar de pagina's van het *Eindhovens Dagblad* dan je die krant kon lezen al spelde je alle personeels- en rouwadvertenties, dan nog leek het of hij continu lette op wat Denvis deed. Alles zag hij, en overal vond hij iets van.

Hier kwamen ze met zijn vieren niet uit, concludeerde Denvis' moeder op een dag, en ze maakte een afspraak voor familietherapie.

Het gesprek vond plaats in een kring. Bij de eerste vraag die Denvis werd gesteld, begon hij te huilen. Hij schaamde zich dood, maar kon niet ophouden. De therapeut vroeg hem of hij misschien kon vertellen wat hem dwarszat. Hij zei dat hij er niet tegen kon, dat hìj – en Denvis keek naar zijn vader – altijd thuis was en op hem lette. Hij noemde enkele vrienden van wie de vader werkte, daar was dat niet zo, die konden als ze uit school kwamen doen wat ze wilden, zonder dat hun vader daar hele tijd keek en er commentaar gaf. Dat was toch ook niet normaal? De therapeut gaf geen antwoord, maar knikte begripvol terwijl Denvis zijn tranen wegveegde.

Op de terugweg in de auto was iedereen lang stil. Denvis dacht dat het vast niet goed was dat hij zo had gehuild.

Toen ze al bijna thuis waren, zei zijn vader opeens iets. Dat het fijn was, hè, dat het eruit was bij Denvis. Dat hij zich nu tenminste lekker had kunnen uiten. Hij zei het heel vrolijk, alsof hij iedereen in de auto, ook zichzelf, ervan wilde overtuigen dat het allemaal weer goed was.

Denvis keek naar zijn moeder. Ze zei niks, maar schudde alleen van nee maar met haar hoofd, met verbeten lippen. Ze keek naar zijn vader met de blik waarmee je naar iets hopeloos kijkt.

Een paar dagen later vertelde ze Denvis dat zijn ouders

uit elkaar gingen.

Denvis vond het een enorme opluchting dat zijn vader vertrok. Zijn moeder was heel duidelijk tegen Denvis en zijn zus: ja, ze hield nog veel van zijn vader en ja, ze hoopte ook dat het ooit nog goed kwam, maar dan moest hij wel veranderen.

Rancuneus was ze niet: ze vond dat Denvis en Marlous op bezoek moesten gaan bij hun vader. Zin had Denvis daar niet in, maar zijn moeder bleef aandringen, dus een paar weken nadat hij het huis uit was gingen Denvis en Marlous langs in het kleine appartement van hun vader, dat was ingericht met het gebrek aan frutsels, prutsels, planten en gezelligheid waarin je de hand van de alleenstaande man ontwaart.

Tot Denvis' grote verbazing was het erg leuk. Zijn vader was geïnteresseerd in hem, wilde horen waar hij allemaal mee bezig was en leek dat niet allemaal heel stom te vinden.

Denvis ging snel nog een keer bij hem op bezoek, en daarna weer en toen bleef hij nog eten ook. Zijn vader verraste hem met kaartjes voor Herman Brood in Lierop en voor James Brown in Arnhem.

Hij zag zijn vader veranderen. Hij deed eindelijk eens ergens moeite voor, omdat hij eindelijk eens iets wilde: zijn vrouw terug.

Dat lukte uiteindelijk, na jaren. Ze kreeg een man terug die was gestopt met drinken. En die een autobedrijf begon, aan huis. En die opa werd. Denvis vond het wel mooi: eindelijk deed Marlous iets onverstandigs. Ze werd ongepland zwanger. Het was geen liefdesbaby, zoals dat in de bladen zo mooi heet. Verre van zelfs: het was een carnavalsbaby. Marlous' relatie was na jaren uitgegaan, dus had ze zich tijdens carnaval eens goed laten gaan. Zo goed, dat ze zwanger was. De vader - of nou ja: de verwekker – was een buitenlandse neger die er nog harder van schrok dan Marlous zelf. Hij belde Denvis' vader toen Denvis thuis was. Hij hoorde het warrige gesprek. 'What? What kind of car do you want?'

Stilte.

'What do you mean, take away baby? What baby? Who? Marlous? But who áre you?'

Hij vond dat zijn vader redelijk rustig bleef. Zijn moeder niet, toen ze thuiskwam en het hoorde. Ze was het helemaal met de beller eens: Marlous moest abortus plegen. Dat was nogal een gevoelig onderwerp, omdat Marlous een paar jaar geleden een miskraam had gehad.

Op dat nieuws had Denvis' moeder destijds ook al gereageerd met het gebrek aan fijnzinnigheid dat ze soms voor eerlijkheid hield: 'Nou, gelukkig maar, want ik zou niet weten hoe jij nu een kind zou moeten opvoeden.'

Dat was vroeger het probleem van zijn ouders, vond Denvis: dat ze zoveel vonden, en dat dan nog zeiden ook. Dat was inmiddels gelukkig verbeterd. Tegenwoordig vonden ze misschien nog steeds veel, maar hielden ze het ook wel eens voor zich.

16

Er wordt op de deur van de kamer geklopt. Een van de organisatoren steekt zijn hoofd naar binnen. 'Sorry dat ik stoor, ik wil alleen even zeggen dat de zaal open is.'

Denvis kijkt hem verbaasd aan. 'Nu al? Hoe laat is het dan?'

'Halfacht. Geweest.'

Lilly zegt: 'Dan laat ik je verder met rust. Bedank je management voor de extra tijd.'

Denvis zegt: 'Blijf je de hele avond?'

'Ja, zeker.'

Hij draait zijn hoofd naar de organisator. 'Hoe laat moet ik op?'

'We beginnen om half negen, jouw nummer is 't zesde of zevende. Is dat oké?'

'Eh... ja, ik geloof het wel.' Hij bedankt Lilly, staat op, loopt naar het toilet, maakt van zijn handen een kom, laat die vollopen met koud water en gooit dat in zijn gezicht. Hij kijkt in de spiegel. Hij oogt moe. Boven uit de kleedkamer klinken de geluiden van een feest in volle gang. Hij loopt de trap op. Het is zo druk dat er ook veel mensen in de gang staan. Iemand slaat hem op zijn schouders. Hij draait zich om. Het is de bassist van de band. 'Hoe gaat het, man? Zin erin?'

Denvis zegt dat hij er even moet inkomen. 'Ik heb net bijna drie uur over mijn jeugd zitten lullen tegen een journalist. Volgens mij heette ze Freud. Die kwam toch ook uit Zwitserland?'

'Oostenrijk.'

'Whatever. Hoe dan ook: ik ben gaar.'

De bassist zegt: 'Ik haal een biertje voor je. Dat helpt vast.' Hij loopt weg.

Denvis staat niet lang alleen: de dealer komt voor hem staan. 'Werkt het al?'

Denvis kijkt hem even vol onbegrip aan, maar snapt dan wat hij bedoelt. Hij zegt: 'Tot nu toe lijk ik het niet nodig te hebben, als je begrijpt wat ik bedoel.' De dealer lacht zijn foute lach, en loopt door. Denvis gaat de kleedkamer in en kijkt door het rookglas van het raam naar de zaal. Die is al voor meer dan de helft gevuld. Hij kijkt naar het podium. De taart staat klaar, naast het drumstel.

Hij raakt in paniek. Over anderhalf uur moet hij op, maar hij lijkt op een andere planeet te leven. Knallen moet hij dadelijk, presteren, maar hij voelt zich een dweil en heeft meer zin om op de bank te liggen en naar een domme film te kijken. Een met veel achtervolgingen en weinig tekst.

Hij steekt zijn handen in zijn zakken en voelt in de linker het kleine stripje zitten. Misschien moet hij aan lekkere wijven gaan denken. Hij kijkt om zich heen en ziet vooral mannen in zwarte shirts van rockbands. Hij zucht en loopt de trap af, langs de wasbak, naar het toilet. Daar drukt hij een pil uit de strip. Hij kijkt er nog eens naar. De vorm is die van een diamant, de kleur lichtblauw. Waarschijnlijk smaakt-ie vies, denkt hij, maar hij is te nieuwsgierig om hem in één keer door te slikken. Hij plaatst de helft van het pilletje tussen zijn tanden en bijt het doormidden. Hij kijkt naar de binnenkant. Wit. Hij likt eraan. Het smaakt naar een ijzer. Alsof hij lood likt. Hij stopt de twee helften in zijn mond, loopt de wc uit, naar de wasbak, vult zijn mond met water en slikt ze door.

Hij gaat terug naar boven en ziet de bassist staan met een flesje bier aan zijn mond, en een vol flesje in zijn linkerhand. Hij neemt het aan en ze proosten. 'Onze kleren al gezien?' vraagt hij.

Denvis zegt dat hij niks heeft gezien. De bassist lacht. 'Geweldig! Loop even mee.'

Die deur naast de kleedkamer die Denvis al honderd keer heeft gezien maar waar hij nooit op heeft gelet, blijkt toegang te geven tot een enorme kast. Er hangt een bonte parade van jurken die tegelijk doen denken aan Assepoester, Sneeuwwitje en Doornroosjes. Overdadige jurken zijn het, suikerspinnen van kledingstukken. De bassist lacht hard: 'Nou, dit dus. Plus een naakte zanger met een stijve pik. Feestelijk, nietwaar?'

Hij sluit de kast weer af, loopt terug en wringt zichzelf de kleedkamer in. Op de leren bank zit een man in een witte broek en een wit hemd heel hard te praten. Zijn stem is nasaal. Hij kijkt Denvis een paar keer aan. Die kijkt bedrukt om zich heen. De blik van de bassist kruist de zijne. 'Hé, maar eh, valt er ook nog wat te snuiven hier?'

De bassist lacht. 'We hebben speciaal voor jou een dealer ingevlogen. Die heb je toch al ontmoet?'

Denvis knikt.

'Nou, die heeft vast meer bij zich dan er op jouw rider stond.'

De twee mensen die naast de bassist staan, schieten ook in de lach. Een ervan is een meisje, zo te zien de vriendin van de ander. Ze draagt een kort, strak jurkje. Op haar linkerschouder begint een tattoo van een bloem, en op haar rechterbeen loopt die door. Denvis stelt zich alles daartussen voor. Ze zegt dat ze zich verheugt op zijn act. En voegt er knipogend aan toe dat het vast goed komt.

Het lijkt wel of iedereen hier weet wat hij zal doen, en hoe hij dat voor elkaar gaat krijgen.

Pff.

Deze druk moet hij kwijt. Hij loopt naar het toilet en rukt de druk weg.

Het lucht op.

Op de trap komt hij de drummer van de band tegen. Hij vraagt of Richard er al is. Denvis zegt dat hij alleen is gekomen.

'Richard zou toch ook komen?'

'Ja, maar die had zijn dag niet zo. Of week.'

'Gaat het wel weer goed met hem?'

Denvis zegt dat het wel gaat met Richard.

17

Met niemand heeft hij zoveel meegemaakt als met Richard.

Met niemand heeft hij zoveel gelachen als met Richard.

Met niemand heeft hij zo vaak ruzie gehad als met Richard.

En het ook weer bijgelegd.

Op dit moment is hun vriendschap bekoeld. Niet omdat Richard in een depressie zit – zijn zoveelste. Ook niet omdat hij de uitgestoken handen van zijn vrienden niet waardeert, niet eens lijkt op te merken – dat heeft hij nooit gedaan. Ook niet omdat hij aan de grond zit in ieder opzicht: zijn relatie is uit, zijn nieuwe band komt niet van de grond, zijn geld is op. Dat voedt weliswaar zijn cynisme, maar dat is altijd alom aanwezig. Niemand kan zo goed de klootzak uithangen als Richard. En niemand kan hem afremmen. Denvis in ieder geval niet.

Tegelijk is Richard zijn oudste en beste vriend.

Dat tweede ongetwijfeld dankzij dat eerste, want zo gaan die dingen: je bouwt gezamenlijke herinneringen op, en voor je het weet is er weer een decennium voorbij en heb je meer samen dan alleen meegemaakt. Neem dan nog maar 's afscheid van elkaar.

Bovendien, relaties maak je uit, maar hoe beëindig je een mannenvriendschap?

Die beëindig je niet. Hoogstens verwatert die.

Ontelbare mensen had Richard beledigd in al die jaren. En meer dan dat. Gekrenkt, vernederd, in tranen doen uitbarsten, tot razernij gedreven. Niemand was daar zo goed in als hij. Zoals water het laagste punt vindt, zo vond Richard ieders zwakke plek. Feilloos. En dan begon hij te sarren, te jennen, te zuigen. Richard drukte zijn vinger in elke wond, en ging door tot ver na de laatste druppel etter.

Veel van die mensen hadden Denvis gevraagd waarom Richard zijn vriend was. Niet neutraal, nieuwsgierig, maar verontwaardigd, met de tranen van verdriet of woede nog in hun ogen. Hoe hij het uithield met hem, en waarom een mens met hem bevriend zou willen zijn.

Richard houdt het ook uit met mij, zei Denvis dan. En soms voegde hij eraan toe dat hij de steller van de vraag dankzij Richard van een heel andere kant had leren kennen. Dan lachten ze altijd zuinig en wat zuur, alsof Denvis zich er met een grapje vanaf had gemaakt. Maar het waren geen grappen. Geen betere zeef dan Richard: wie zichzelf te serieus nam, viel in zijn aanwezigheid meteen door de mand.

Denvis hoorde ze nog naloeien in zijn hoofd, de organisatoren van het Tibetfestival nadat Richard de kleedkamer had beklad met tekeningen van Mao. Omdat hij het niet trok, dat serene gedoe, het gedweep met die laf naar India gevluchte quasi-filosoof, dat vrijblijvende sfeertje van 'bewustwording'.

Tibet was hip, zoals Zuid-Afrika ooit hip was, en daarna het milieu; daarom waren al die mensen hier bij elkaar, om een dag de anti-Chinees te acteren in hun 'made in China'-kleding. Zo zag Richard dat. En als ze hem dan vroegen wat hij zelf uitvoerde voor een betere wereld, zei hij: 'Helemaal niks. Net als jij. Alleen hang ik niet de heilige uit.'

Richard was verbaal vrijwel iedereen de baas, al was het maar omdat hij er niet voor terugschrok onder de gordel te schoppen. Sterker, daar begon hij meestal. Ook bij Denvis.

Van al Denvis' vriendschappen waren er weinig gelijkwaardig. Als het erop aankwam, walste hij over anderen heen, ook over vrienden. En Richard walste over Denvis heen.

Talloze keren had hij al besloten dat hij er genoeg van had, dat hij klaar was met Richard. Maar dan ging hij bijvoorbeeld weer op reis, en stond Richard voor de deur met precies datgene wat Denvis wilde, maar waar hij geen geld voor had: een gitaar. Het was zijn eigen replica van een Gibson Les Paul. Hij had hem zelf voor Denvis omgebouwd zodat het nu een linkshandige replica van een Gibson Les Paul was.

Richard zei: 'Ik denk dat je hem heel mooi vindt zo.' En grijnsde.

Denvis pakte hem uit. De gitaar was op iedere mogelijke plek beplakt met de hoofdrolspelers uit *Goede Tijden Slechte*

Tijden. Het grootst was de foto van Arnie: veertig bij veertig centimeter groot lachte die Denvis tegemoet. Tussen de GTST-*foto's* stond een jong en behoorlijk lelijk koppel dat Denvis niet kon thuisbrengen. Richard legde uit dat dit de winnaars van een reis waren, de hoofdprijs van de grote *Veronica Gids Goede Tijden Slechte Tijden*-prijsvraag. De andere foto's kwamen allemaal uit hetzelfde blad.

Alleen al de talloze keren dat ze samen rijk hadden moeten worden. Als ze duizend euro hadden gekregen voor elke poging om definitief binnen te lopen, waren ze alsnog binnengelopen.

Ze hadden hun eigen homo-erotische fotostrip bedacht én gemaakt: 'Malerische Liebe'. De hoofdrolspelers heetten Denvis en Richie en droegen korte broeken en strakke shirtjes. Denvis vroeg aan Richie: 'Darf ik mein pinsel in dein topf stecken?'

Richie vroeg: 'Wie meinst du, Seemann?'

Vervolgens haalde Richie Denvis' lul uit zijn broek, terwijl die hem aanmoedigde: 'Genau, knabe.'

Richie riep bewonderend uit: 'Ein pinsel? Dass is ein farbroller!' En hij smeekte: 'Steck dein U-boot in meine blechtrommel, bitte.'

Dat deed Denvis terwijl hij 'Arbeid macht frei!' uitriep.

Op het laatste plaatje keken ze samen in de camera met hun gezicht en ontblote bovenlijf vol melk, terwijl de aftiteling meldde: 'Und milch schmeckt ganz gut nach die arbeit!'

Want dat was het uiteindelijk: reclame voor melk.

Ze bedachten de tv-serie *Matje en Huub*, over twee afgekeurde bouwvakkers in een Ford Capri die naar het pand van BNN rijden terwijl ze twee oude vrouwen op een fiets passeren.

Matje zegt dan: 'Lilluke lesfietse. En ik zal nog 's opkijke als ze bij die BNN nie barste van de cente, dus maakt oe borst maar nat, Huub, want daar zullen we dan mooi mee meehelpen, met die cente, witte nie.'

Bij BNN aangekomen worden ze welkom geheten door een kleine jongen. Matje roept: 'Eeh, kleine, ga je baas 's halen!'

De kleine blijkt Bart de Graaff, de baas van BNN. Huub en Matje zijn uit op zijn geld.

Hoe Denvis het voor elkaar kreeg, het bleef Richard verbazen – of eigenlijk ook niet, want hij maakte het al jaren mee en het kwam vooral neer op doordrammen tot de andere partij zwichtte – maar hij wist BNN te enthousiasmeren voor de serie. En niet alleen dat, ze gaven Denvis zelfs een voorschot. Denvis kon er maar niet over uit: met twee jongens bij een omroep binnenlopen met een plan over een serie over twee jongens die bij een omroep binnenlopen om al hun geld op te maken, en daar geld voor krijgen. Hoeveel precies, daar deed Denvis altijd wat vaag over, maar het ging zeker om tienduizenden guldens, want hij liep opeens met veel cash rond en verzette geen meter meer zonder een taxi te bestellen. Denvis was goed in binnenhalen en opzetten, maar niet in vasthouden, wist Richard, dus dat het voorschot snel zou opraken en niet grotendeels aan de serie, had hij wel verwacht. Maar toen ze voor een van de afleveringen van *Matje en Huub* opnamen in de Apenheul maakten en Denvis arriveerde met alleen maar een apenhandschoen in plaats van het apenpak uit het script, had Richard het vermoeden dat het geld al helemaal op was. Wat klopte. En de serie werd nooit uitgezonden. Het was alsof ze zelf ook nooit hadden verwacht dat het zou doorgaan, maar er juist daarom zo van genoten dat het toch even goed liep, wat de betalende partij aanzag voor het ontspannen zelfvertrouwen van de ware prof.

Op vakantie in Thailand leerden ze een groep jongens kennen die een kroeg hadden en het geweldig vonden dat Richard en Denvis muziek maakten. Ze vroegen waarom ze niet samen een kroeg begonnen. Denvis en Richard begrepen niet hoe enthousiasme voor het een tot het ander kon leiden, maar ze vonden het best, als ze maar geen geld hoefden in te leggen, want zoveel hadden ze niet. Tijd en moeite konden ze er wel in steken. Dat was goed. Richard kreeg de taak de kroeg te schilderen. Die taak voerde hij zo rock 'n roll mogelijk uit: hij verfde de hele kroeg gitzwart.

De momenten waarop Denvis niet in bed lag met zijn nieuwe Thaise vriendinnetje, gaf hij een kwast aan, of een emmer. Ondertussen vertelde hij Richard dat zijn vriendinnetje zich op zijn lul had gestort als, zoals Denvis het zo poëtisch mogelijk uitdrukte, een bouvier op een berg brokken.

Een paar weken later ging de eerste punkbar van Thailand open. Er speelden bandjes met namen als Toilet, en in de zaal stonden Amerikaanse pubers van een internationale school te pogoën. Richard en Denvis moesten flyeren en bezoekers binnenlokken, en dat ging best goed, en de meisjes vonden Denvis bovendien erg interessant, vooral omdat hij altijd vertelde dat Richard en hij de mede-eigenaren van de club waren.

Over het geld hadden ze niets op papier gezet, ze hadden gewoon afgesproken dat ze iedere maand een deel van de winst kregen. Na een maand was de bar alweer dicht. Waarom snapten ze niet helemaal, maar volgens de eigenaar was het gedeeltelijk hun schuld, en volgens Richard en Denvis niet. Erg vonden ze het niet, ze hadden toch weer drie mooie weken gehad, en een verhaal voor later.

Alleen in de eerste week hadden ze iets verdiend, en van dat geld had Richard duizend T-shirts laten drukken van de Sexy Love Men.

Duizend. Zelfs Denvis vond dat wat veel.

Voor Thailand wel, gaf Richard toe. Maar niet voor het land waar ze het echt zouden gaan maken. Japan.

Maar eerst bleven ze nog een paar weken in Thailand. Toen ze in een Thaise variant op de Bananenbar een meisje zagen dat een toeter in haar kut stak en een compleet liedje toeterde, stapte Richard op haar af om haar officieel uit te nodigen als bandlid.

Bijna net zo mooi als een avond eerder toen Richards vuist en die van Denvis op exact hetzelfde moment in het gezicht van de dikke Thai die 's nachts in een steeg ruzie met ze zocht, en kreeg. Een paar tanden in één klap, en van twee vuisten tegelijk, dat was de score. Ze keken elkaar triomfantelijk aan. De wetenschap dat Richard – al was hij op zo'n reis soms dagenlang niet te genieten om redenen die Denvis volstrekt onduidelijk waren en Richard zelf waarschijnlijk ook – nooit zou wegrennen als in een steegje iemand opdook die problemen zocht, vond Denvis belangrijker dan een dagelijks onberispelijk humeur.

En ze gingen naar Japan, met de doos shirts. Ze waren gewaarschuwd. Dat het niet meer zo gemakkelijk was als vroeger om dat land binnen te komen. Er was al een 'change of policy' aangekondigd vanaf januari, en nu was het maart. Ze wisten ervan, maar de waarschuwingen vielen weg tegen alle juichverhalen over het land, en Richards vertrouwen in Japans succes.

In het vliegtuig kregen ze een formulier waarop ze niet alleen moesten invullen waar ze overnachtten, maar ook wat hun plannen waren, gespecificeerd per dagdeel. Denvis begon voortvarend in te vullen naar welke musea ze zouden gaan en wanneer, maar Richard zag de bui al hangen.

Toen ze op het vliegveld aankwamen werden ze onmiddellijk apart genomen in een kamertje met fel licht en een systeemplafond. Ze moesten wachten, want de beambten waren nog bezig met het gezin dat voor hen in de rij stond. Denvis en Richard konden alles letterlijk volgen. 'Where's the money! Show us the money!' hoorden ze de beambten bulderen, terwijl die afwisselend met vuist en vlakke hand op de tafel sloegen.

'Dit is niet de vip-ruimte,' zei Richard. Wie Japan in wilde, moest bewijzen kredietwaardig te zijn. Door een geldige creditcard te tonen. Die hadden ze allebei niet. Of door voldoende contant geld te laten zien.

Denvis vroeg: 'Hoeveel hebben we bij ons?'

Richard: 'Niet veel. Bijna niks, eigenlijk.'

Ze kwamen tot honderd dollar.

Denvis blufte het omhoog tot tweehonderd dollar. De man aan de andere kant van de tafel schreeuwde alsof Denvis twintig meter van hem vandaan zat. Zijn Engels was beperkt en concentreerde zich vooral op het woord 'no'. Tweehonderd dollar, daar redden ze het volgens hem nog geen dag mee.

Denvis probeerde iets nieuws: 'I've got very rich parents! My father will send me the money tomorrow.' Toen dat niet werkte, eiste hij een onderhoud met de Nederlandse ambassadeur.

Richard had hier geen zin in. Zo zei hij het ook. 'Ik heb hier geen zin in, man. Ik ga terug.'

'Wat nou terug? Naar Thailand? Echt niet. Ik laat me nog liever opsluiten.'

Richard voorspelde dat dat precies was wat ze met Denvis zouden doen.

Richard kreeg gelijk. Denvis werd naar een kleine cel gebracht, in een rij met alleen maar dergelijke hokken. Ze zaten vol asielzoekers. Hij was niet in paniek, maar hij had het gevoel dat hij dat eigenlijk wel moest zijn. Maar, zo redeneerde hij nog steeds, een telefoontje naar de Nederlandse ambassade en hij was weg uit dit misverstand.

Want dat was het, vond hij: een misverstand. Hij was geen asielzoeker, hij was een toerist. Hij zou dus weer weggaan uit het land, en er nog geld achterlaten ook.

Ze waren niet onder de indruk en bleven bij hun keuze: het land in en daarvoor betalen, of terug naar Thailand. Niet kiezen betekende zitten.

Denvis koos voor het actiemiddel waar echte asielzoekers ook geregeld op teruggrijpen.

Hij ging in hongerstaking.

Als hij heel eerlijk was, vond hij al een paar weken dat er best een paar kilo af mochten, dus het kwam eigenlijk wel goed uit. Bovendien had hij in Costa Rica ooit zo'n dieet geprobeerd waarbij je de eerste week helemaal niet eet, de tweede week alleen fruit en de derde week fruit, groenten en wat rijst. Dat had hij ook volgehouden.

Hij hield het een week vol, tussen de Maleisische kickboksers op weg naar een gala, die de tijd doodden met kaarten om enorme inzetten. Eentje had na twee dagen veertigduizend dollar gewonnen en daarmee de entree tot Japan. Denvis bracht de tijd door met lezen en gitaarspelen tussen de chagrijnige overgebleven Maleisiërs.

Na die week moest hij kiezen: het land in en daarvoor betalen, of terug naar Thailand. Het was mooi geweest, oordeelde hij, hij was een muzikant, geen verzetsstrijder. Hij vloog terug naar Thailand en at in het vliegtuig ook de maaltijd van zijn buurman op.

Op de luchthaven van Thailand vroegen ze waar het geld was. Hij dacht even dat ze een grapje maakten. Ze waren onvermurwbaar: betalen moest hij, anders kwam hij het land niet in. Hij barstte in huilen uit en vertelde snikkend dat hij net een week had vastgezeten in Japan om precies dezelfde reden. Vier uur hielden ze hem vast, tot Richard en Denvis' Thaise vriendinnetje op het vliegveld kwamen opdagen met het benodigde geld. Een douanebeambte wees naar Richard en zei dat Denvis blij mocht zijn met zo'n vriend.

Dat was hij ook vaak, en soms niet. Hun vriendschap was explosief en emotioneel. Ze hadden stoelen op elkaars hoofd kapotgeslagen, Richard had ooit zijn hand op Denvis' hoofd gebroken, en een uur later hadden ze elkaar weer omhelsd. Het was een vriendschap van grote emoties. Denvis vond dat Richard hem geregeld niet serieus nam, afkraakte, tekort deed. Richard vond dat Denvis hem inzette als een pion in dat grote plan van hem, dat uiteindelijk draaide om niemand anders dan hemzelf.

Denvis vond dat Richard altijd met iedereen ruzie kreeg, Richard vond dat Denvis altijd met iedereen ruzie kreeg. Daar kregen ze dan ruzie over, zodat ze allebei hun gelijk hadden.

Denvis vond Richard een muziekpurist die mensen volledig kon afschrijven omdat ze de verkeerde plaat van Iron Maiden de cruciale vonden; Richard vond Denvis een muzikale allemansvriend, bovendien de enige muzikant die hij kende die in de auto zijn éigen muziek draaide en meezong, en zelfs beledigd was wanneer anderen erdoorheen praatten.

Ze konden elkaar haten, zoals zelfs echtparen dat na jaren niet kunnen; ze konden hun vriendschap opzeggen in een woordenstroom die alleen maar bestond uit openstaande rekeningen en ruzie maken waardoor anderen in een kring om hen heen achteruit weken, oorlogen van ruzies, waar de vonken van afvlogen, ruzies die eindigden in tranen, ruzies die je alleen maar hebt met mensen van wie je houdt en van wie je nooit meer af komt, en die eindigden in liederlijke odes aan die liefde, pathetische odes om samen in te verzuipen.

Dan proostten ze op hun vriendschap, en op elkaar; Denvis op het feit dat er ondanks alles maar één Richard was, Richard op het feit dat er ondanks alles maar één Denvis was, en samen op het feit dat dat maar goed was ook.

18

Hij neemt een snuif.

Die doet zijn werk. Precies dat is het probleem van coke: het doet wat het belooft.

Er zijn momenten dat Denvis nadenkt over zijn verslavingsgevoeligheid. Het grootste probleem, denkt hij, is dat er twee verslavingen aan elkaar zijn gekoppeld. Als hij uitgaat, wil hij drinken. Als hij drinkt, wordt hij dronken. Als hij dronken is, wil hij snuiven.

Dat laatste heeft hij ooit zelf in de hand gewerkt, weet hij. Zoals er mannen zijn die alleen maar met onbekende vrouwen kunnen neuken wanneer ze dronken zijn, en dus liefst zo vaak mogelijk dronken worden. Dat heeft hij dan weer niet. Neuken gaat ook om presteren, en dat kan het best nuchter.

Een ander probleem is zijn nieuwsgierigheid. Toen hij in Thailand was wilde hij heroïne spuiten en opium roken. Want dat doen mensen in Thailand ook en vast niet omdat het zo vervelend is. Samen met een andere toerist, een Engelsman, volgde hij twee oude mannetjes een berg op, naar een tentje waarin matjes waren neergelegd. De berg was zo steil dat Denvis dacht dat hij van zijn matje zou afrollen, naar beneden. Zij lagen daar, en die mannetjes vulden de pijpen en gaven steeds nieuwe aan.

Toen ze terugliepen was het ochtend. Denvis kreeg een jeukaanval. Hij krabde, maar het ging niet over, het werd alleen maar erger, en hij wilde krabben tot hij bloedde. Hij zag iets verderop een riviertje, gooide al zijn kleren uit en begon zichzelf met water te besprenkelen. Dat luchtte een beetje op. Wel schaamde hij zich dood toen er een Thaise familie langskwam, met drie kleine kinderen die niet wisten waar ze moesten kijken toen ze die grote witte blote man raar zagen doen.

Schaamte, dat had hij zo vaak gevoeld door de dope. Of beter: door zijn gedrag onder invloed van dope.

Toen hij op de filmacademie zat en in Amsterdam woonde, kon hij uren over de Wallen lopen. Soms rookte hij daar crack met de junks en liep vervolgens rondjes tot hij moe werd. Dat kon lang duren. Hij ging ook wel eens naar binnen bij een vrouw, liefst in de minder populaire gebieden waar de steegjes zo smal zijn dat ze spiegels hadden opgehangen om oogcontact te maken. Daar zaten de zwarte vrouwen, de goedkoopste, die het niet moesten hebben van hun uiterlijk, maar van hun prijs en vooral hun mogelijkheden. Daar zat er wel eens een tussen die wilde doen wat hij het geilst vond: over hem heen pissen terwijl hij zich aftrok. Een vrouw piste ooit zo weinig en zo snel dat ze al klaar was voor hij was begonnen. Hij zei dat ze door moest gaan, maar zij antwoordde 'Finished.' Toen zei hij dat hij zijn geld terugwilde. Dat weigerde ze. 'Finished,' zei ze opnieuw, nu harder, en ze gebaarde dat hij moest gaan. Hij had gezien waar ze zijn briefje van vijftig had gestopt: in de zak van haar badjas, die aan een haakje hing. Hij griste het briefje eruit en liep weg. Dat ze boos zou worden had hij wel verwacht, maar niet dat ze hysterisch krijsend achter hem aan zou rennen. Ze krijste: 'My passport! My passport!' Hij versnelde en keek ondertussen in zijn hand. Hij had niet alleen zijn eigen briefje, zag hij nu, het waren er wel vijf of zes. Dat was nou ook weer niet de bedoeling geweest. Maar nu was het te laat, nu kon hij alleen doorrennen, want inmiddels was het aantal achtervolgers opgelopen tot twee. Voor de crack had hij speed genomen, dus dit tempo hield hij wel even vol, wist hij. Tot hij een verkeerde steeg in rende, tegen twee agenten op. Het liep beter af dan hij had verwacht: ze hadden zichtbaar geen zin om uit het geschreeuw van drie idioten op te maken wie gelijk had, dus als Denvis het geld teruggaf, mochten ze alledrie gaan. Maar hij schaamde zich wel toen de hoer naar hem wees en tegen de agenten schreeuwde dat hij niet alleen een dief was, maar ook een viespeuk.

Het probleem is doseren. Dat kan hij niet. Als beginnend puber zoop hij al zoveel dat hij er blackouts van kreeg en voor het jongerencentrum omviel als na al het bier een joint verkeerd was gevallen. Hij kon daar uren liggen, tussen de fietsen. Een paar jaar later kwamen de pillen erbij, geslikt of vermalen en daarna gesnoven. En dan soms met vrienden door naar Antwerpen, waarbij degene die reed af en toe een klap in zijn gezicht kreeg om te voorkomen dat hij in een roes zou wegzakken. En daar naar de hoeren, en vervolgens naar de kroeg, en wanneer de laatste nachtkroeg in het Schipperskwartier dichtging opende het eerste café in het centrum alweer, en konden ze koffie drinken, eieren eten en kaarten, want voor school was het inmiddels toch te laat.

Het enige wat werkt, is wat zijn vader heeft gedaan. Helemaal stoppen. Met alles. Hij heeft het een paar keer geprobeerd. Dan ging hij ook meteen sporten om dat lijf weer terug te krijgen waar Eddie ooit warm voor liep, of een lijf dat daar in ieder geval op lijkt. Sporten ging hij, als een dolle, en gezond eten ook. Hij werd zelfs vegetariër en stopte ermee een gelegenheidsroker te zijn.

Het verliep altijd hetzelfde: hij voelde zich fitter, al heel snel. Na gemiddeld een dag of twee vertelde hij iedereen hoe sterk en vitaal en gezond hij was. En hij merkte hoeveel tijd dat scheelde, nooit katers, en hoeveel energie.

Dan kwamen de eerste nuchtere shows en stond hij in kleedkamers met zijn spa of vruchtensap, en maakten sommigen er grapjes over, of vroegen ernaar, of vertelden hem, zelf al nippend aan hun bier, hoe knap ze het vonden en dat ze zouden willen dat ze het ook konden. Maar niemand ging eraan voorbij. Met een Spa in de hand was hij een statement, dat was duidelijk. En vervolgens zag hij het verval van al die mensen om hem heen, zag hij de stiekeme gangen naar het toilet, het gefrunnik met briefjes, het ophalen van neuzen, en hoorde hij de cokepraat aan, dat domme holle gelul der overmoed. Hij walgde ervan en wist dat hij zelf geen haar beter was geweest, dat hij – en dat vond hij misschien nog wel het ergst – talloze keren aardig had staan doen tegen mensen die hij niet kon uitstaan, die hij normaal meed maar om wier grapjes hij nu hard lachte en naar wier verhalen hij luisterde, alleen maar omdat hij wist wat ze in hun broekzak hadden, en hoopte dat hij er een snuifje van mee mocht krijgen. En altijd ging het mis wanneer het einde van het feest naderde. Bij het vooruitzicht op de kutdag die zou volgen, misschien wel twee, sloeg de paniek toe, en liet hij ook de laatste neiging tot doseren varen. Zo was het vroeger al, toen hij moest huilen wanneer zijn verjaardag bijna was afgelopen, het einde van de vakantie naderde of Sinterklaas bijna de boot naar Spanje terug nam. Hij kon er niet tegen dat feesten eindigden.

In de periodes dat hij niet gebruikte voelde hij zich de morele winnaar, de man die hier voorbij was, die meters hoger op de berg stond. Dan dacht hij aan de ruzies met junks, de nachten met te veel geld in steegjes, aan het delen van naalden en aan alles wat mis had kunnen gaan, en wist hij dat hij op tijd was gestopt. Richard had het al vaak tegen hem gezegd: dat hij zich verbaasd niet alleen over de hoeveelheden die Denvis naar binnen werkte van werkelijk alles waar hij maar van hield – alsof hij altijd wilde inhalen wat hij had gemist, al had hij niets gemist – maar vooral over de mensen met wie en de omgevingen waarin Denvis kon gebruiken: tussen het grootste tuig, in de smoezeligste pandjes en perkjes. Gebruiken hoorde dan niet meer bij de avond dat het gebeurde, het stond los van alles, het was een doel op zich.

Juist het gevoel van superioriteit dat hij had op de momenten dat hij daarmee brak maakte de coke overbodig, en daarop hield hij het altijd een tijdje vol. Maar alles verveelt, zelfs volle tevredenheid met jezelf. Dus ging het na een tijd wringen, zag hij anderen een type lol hebben die nuchtere mensen niet kunnen bereiken, en hij op dat moment ook niet meer. Uitgaan en toeren werden zo een opgave, een strijd die hij steeds meer ervoer als een strijd tegen zichzelf, want, zo zag hij dat: deze Spa-drinkende vegetariër met een dagpas van de sportschool, dat was hìj niet, dat was hoogstens wie hij af en toe wilde zijn. Langzaam ging het dan wankelen, was een blik op de doodgekookte groenten die voor de vegetarische schotel moesten doorgaan voldoende om backstage toch weer eens de gehaktballen in tomatensaus te nemen, en vertelde hij zichzelf nog net niet hardop dat het niet ging om af en toe een biertje of een sigaret, maar om de overdaad. Dat hij dus op de dosering moest letten, in plaats van de asceet uit te hangen. En zo kwam de alcohol terug, en dronk hij een keer te veel, waardoor ook de coke terugkeerde, en dan schrok hij en herinnerde zichzelf aan zijn voornemens, maar de tweede keer was de schrik al minder groot, en bij de derde keer was hij er alweer aan gewend. En altijd was er wel een reden om juist nu, vanavond, zijn voornemens te laten varen. Normaal niet, maar vanavond wel, want vanavond is speciaal – al bestond speciaal dan uit een paar man rond een halve gram op een wc.

Hij haalde Plato wel eens aan, op zo'n moment. Dat die had gezegd dat de belangrijkste dingen tot ons komen door de roes. Dat maakte altijd indruk. Tot hij een keer iemand trof die filosofie had gestudeerd en niet alleen óver Plato had gelezen in bladen, maar ook zijn werk zelf. Die zei dat Plato dat inderdaad had gezegd, maar dat het tweede deel van de zin luidde: 'zolang deze een goddelijk geschenk is'.

Vooral toen hij vaak met The Spades speelde, snoof hij veel. Het ging altijd op dezelfde manier: hij haalde een voorraad in huis, bedoeld voor de komende weken. En zo gauw het in zijn huis lag, kon hij er niet van afblijven. Het begon met één snuif, en na een paar uur was zo'n zakje van drie gram erdoorheen en zat hij zonder voorraad en met een schuldgevoel.

Toen hij al een paar keer was afgewezen voor de WIK, die als opstap bedoelde kunstenaarsregeling waar de helft van zijn vrienden in terecht was gekomen, met het voornemen er nooit meer uit te raken, moest hij in die toestand naar de sociale dienst. Hij wist niet precies hoe lang hij al wakker was, maar met terugrekenen kwam hij tot op zijn minst veertig uur. Het meisje van de sociale dienst was van zijn leeftijd en duidelijk net begonnen in deze functie. Ze zei dat ze hem niet kon helpen en dat ze hem moest doorsturen naar iemand die over de WIK ging. En dat ze het heel vervelend vond dat die persoon Denvis juist naar haar had doorgestuurd, maar dat hij toch echt daar moest zijn.

En toen begon hij te huilen. Keihard, en hij hield niet op. Het was junkenverdriet, hij wist het, het verdriet van het drama en het zelfmedelijden, maar ophouden lukte niet.

Het meisje schrok en reikte hem, met een lievige onhandigheid, een papieren zakdoekje aan. Ze vroeg wat precies het probleem was.

'Ik heb hulp nodig,' snikte hij.

Ze vroeg: 'Wat voor hulp?'

'Psychische hulp!' Dat vond hij zelf zo hartverscheurend zielig klinken dat hij er nog harder van ging huilen.

Na de sociale dienst ging hij door naar de apotheek, om sint janskruid te halen. Volgens het meisje hielp dat om rustig te worden.

Er zijn momenten dat hij nadenkt over zijn verslavingsgevoeligheid, en weet dat het niets anders is dan de vicieuze cirkel van zelfbedrog. Vanavond is niet zo'n moment.

In de kleedkamer is het iets rustiger, veel mensen zijn al naar de zaal vertrokken. Op een bank zitten enkele bandleden. Eentje komt binnen met zijn jurk aan. Iedereen moet lachen.

Op een andere bank zitten die vent in zijn witte pak en de organisatoren. Daartussen staan een paar mensen die Denvis nog kent van vorige edities. In een hoek staan enkele behoorlijk dronken jongens. Dat zullen de winnaars van de prijsvraag zijn. Een van hen wijst naar Denvis en smoest wat met de anderen. Dan beginnen ze tegelijk te zingen:

'Aarrgh – whoe whoe!

Everytime I walk down the street – erection!

I see a woman that I like to beat – erection!'

Bij 'erection' wijzen ze naar hem, met hun wijsvinger in drie korte stoten. E-rec-tion.

De rest van de kleedkamer haakt in.

'When I think of blood I think of love – erection! When I think of blood I think of love – erection!

OH, I GOT ERECTION!'

Ze schateren, bulderen en klappen terwijl ze naar Denvis wijzen.

Hij lacht mee. Maar denkt tegelijk: wat als hij dadelijk uit die taart springt zonder erectie?

Het staat niet letterlijk in het contract, maar de teleurstelling zal groot zijn.

Een zanger die uit een taart springt en 'I Got Erection' van Turbonegro zingt met een slappe lul... je moet wel heel postmodern zijn wil je denken dat ook dat onderdeel is van de act, bij wijze van statement tegen het samenvallen van vorm en inhoud.

Postmodernisten, daar is de zaal niet mee gevuld. Wel met rockers, die hem vierkant zullen uitlachen wanneer hij in slappe toestand uit de taart springt. Ze zullen weten wat had moeten gebeuren en wat niet is gelukt. Ze zullen lachen om de verkeerde redenen. Niet om wat hij doet, maar wat hij laat. Ze zullen wijzen, wijzen naar zijn lul. Kijk daar, daar hangt-ie, groot maar lui, de dienstweigeraar.

Goddomme. Dat nooit.

Wat moet, dat moet.

Hij grijpt in zijn broekzak en haalt de strip met nog een blauw pilletje eruit.

19

'Hé Denvis,' zegt een van de aanwezigen. 'We hebben het hier net over Andre Williams. Jij hebt toch ooit een nacht doorgehaald met hem?'

'Sterker nog: een heel weekend!'

En hij vertelt over zijn avonturen met Andre Williams, geboren in 1936 en nog steeds een rock 'n roll-icoon. Hij vertelt hoe hij terechtkwam op een rock 'n roll-feest in Las Vegas waar Williams optrad, hoe die hem begroette met 'There's my favorite Dutch boy', want ze hadden elkaar al een paar keer ontmoet. Backstage. Erger dan een concert missen is voor hem een concert bijwonen zonder backstage te kunnen komen. Hij is de Forrest Gump van de rock 'n roll: hij duikt overal op.

De aanwezigen luisteren aandachtig als Denvis vertelt hoe hij voor zijn eindexamenproject van de filmacademie Williams en de legendarische, tien jaar oudere Rudy Ray Moore filmde terwijl ze zo lovend mogelijk over elkaar moesten vertellen. Hij doet ze na, met hun aanstekelijke opschepperij over elkaar, en vertelt hoe ze eindigden op een hotelkamer, met Williams liggend op het bed, grijpend naar iedere vrouw die daar langsliep – en dat waren er veel. Hoe ze samen snoven, hoe mensen hem complimenteerden met zijn Turbonegro-petje omdat bijna niemand die band toen nog kende, en hoe Williams hem uitnodigde hem de dag erna tijdens een Halloweenconcert aan te kondigen. En hij vertelt hoe hij dat deed, en hoe uitzinnig de zaal reageerde.

Dit is zijn favoriete rol, de rol die hem ligt: de vertolker van het sterke verhaal, met zichzelf in een van de hoofdrollen. Hij hoort zichzelf overdrijven op die momenten, alles naar boven afronden, vooral zichzelf, en altijd anderen citeren die zijn status benoemden. Hij schetste de contouren van een wereld waarin iedereen die er toe deed hem kende.

Dat rock 'n roll-weekend was in 1999, toen hij kampte met liefdesverdriet en niet alleen door al het geld heen was dat hij had, maar ook door het geld dat hij niet had. Zijn bank bood studenten de mogelijkheid om tienduizend gulden rood te staan, en binnen een maand stond hij dat. Zijn relatie was uit, dus hij had troost verdiend, vond hij. Zoals hij kon verdrinken in verliefdheid, zo kon hij dat vervolgens ook in het verdriet. Bij nieuwe liefdes moest in het hele land de vlag uit, bij verbroken liefdes halfstok. Zijn omgeving zou altijd weten hoe hij zich voelde, en daardoor worden beïnvloed. Hij was de antikameleon.

Hij gaf zijn tienduizend rode guldens uit aan drugs en drank, maar ook aan heel veel voedsel. Dagelijks rekende hij bij de Albert Heijn pakken gerookte zalm af, dagelijks liet hij sushi bezorgen. Het leven was een tranendal; als iemand hem nu moest trakteren, zou hij dat zelf moeten zijn.

Toen hij hoorde over het rock 'n roll-weekend, wilde hij erheen, maar hij kon nog niet eens een ticket betalen. Hij wist te regelen dat hij voor een Nederlands productiebedrijf een rapper in New York mocht interviewen van wie hij nog nooit had gehoord, en dat het bedrijf hem geld gaf voor een ticket, zodat hij alleen de overstap naar Vegas hoefde te betalen, en dat kon met de vergoeding voor het interview. Vervolgens wist hij ze over te halen hem een camera te lenen, zodat hij in Vegas opnamen kon maken voor zijn eindexamenfilm. Hij pikte de camera op in New York en daar zou hij hem ook weer afleveren. Daar hadden die mensen van het productiebedrijf helemaal niks aan, maar hij wist ze toch te overtuigen dat ze daar uiteindelijk wel degelijk iets aan hadden, want het zou geweldig materiaal opleveren en dat mochten zij dan ook gebruiken, gratis en voor niks. Dat kon hij als geen ander: de tegenpartij ervan overtuigen dat zijn voordeel ook hun voordeel was. Richard had al vaak tegen hem gezegd dat hij autoverkoper moest worden: hij was de verkoper die mensen kon wijsmaken dat ze een nieuwe auto nodig hadden terwijl ze er net een hadden aangeschaft. En altijd kreeg hij zijn zin, want de meeste mensen houden niet van gedoe, en tien keer gebeld worden vinden ze gedoe, dus ze zeiden soms 'Ja' om van hem af te zijn. Wat ze dan niet waren. Richard had Denvis tegen programmeurs van zalen horen zeggen dat ze een feest hadden en dat het echt tof voor ze – zo zei hij dat, letterlijk, voor hén, niet voor hem – zou zijn als ze een rock 'n rollband boekten, en dat hij er nou net toevallig in eentje zong.

De dag na het rock 'n roll-feest wist hij van zes aanwezigen een dollar los te peuteren, zodat hij voor zes dollar naar het onbeperkt buffet kon, waar hij zich vol at met kreeften en garnalen. Het was alsof hij thuis was, maar dan gratis.

Het ging mis toen daar zijn ex opdook, samen met een vriendin die Denvis haatte, en niet eens omdat ze onzeker was, een eetstoornis had en de hele dag naar Tori Amos luisterde en Jaffa-cakes at. Hij kreeg knallende ruzie met zijn ex, maar wilde het bijleggen, zodat hij zijn vlucht miste. De nieuwe vlucht leidde langs een ander vliegveld in New York dan de oorspronkelijke, en bracht hem vier uur later dan gepland op Schiphol. De camera had hij niet in New York kunnen teruggeven, zoals afgesproken. Hij belde het productieteam om ze te beloven dat het eerste wat hij in Nederland zou doen, het opsturen van de camera naar de VS zou zijn. Ze waren woest. Denvis zei dat hij er ook niks aan kon doen. Ze bleven woest. Hij zei dat hij het godverdomme al hartstikke zwaar had nu en dat hij toch zijn best deed om mee te denken over een alternatief. Ze werden er alleen maar kwader van.

Een vriendin van de filmacademie zou hem ophalen van Schiphol, en had als verrassing geregeld dat hij werd opgewacht door twintig schoolkinderen. Die zouden allemaal juichen en gillen als hij de ontvangsthal in zou lopen. Dat zou ze filmen, zodat hij het kon gebruiken als slot van zijn eindexamenfilm. Hij was vergeten haar te bellen dat hij pas een vlucht later aankwam.

Toen hij tenslotte de hal inliep, stonden twee woedende mensen van het productiebedrijf op hem te wachten, en een boze vriendin, die twee uur geleden twintig teleurgestelde kinderen naar huis had gestuurd. Hij riep boos dat het leven een stuk gemakkelijker zou zijn als niet iedereen altijd aan zijn kop zou zeiken.

20

'Jullie hebben toch ook met Jack Endino gewerkt?' vraagt iemand die achter Denvis staat. Hij draait zich om. Het is de jongen van het fanzine.

'Jazeker,' zegt Denvis, 'Met hem hebben we een EP opgenomen. In Seattle.'

Jack Endino had met Nirvana gewerkt. Dat schreven alle kranten braaf op toen Denvis' platenmaatschappij er een persbericht over uitstuurde. Wat de man daarna nog had gepresteerd, vroeg niemand.

Zo werkt dat, wist Denvis. Bluf loont.

En op momenten dat het hem uitkomt, zoals nu, valt hij erop terug. Hij hoort zichzelf opnieuw uitweiden over Endino, en de sterke verhalen opdissen die al vele kleedkamers stil kregen; de namen laten vallen die het altijd goed doen.

Lemmy van Mötorhead? Heeft hij een nacht mee doorgehaald. Sterker: hij heeft speed van zijn vingers gelikt. Letterlijk, ja. En daar komt er weer een, een anekdote, opgediend als toegift. Zijn *Greatest Hits* aan verhalen, hij heeft 'm altijd op zak voor als het stil dreigt te vallen.

Het is ook de houding waarmee hij op het podium staat en niet toevallig, want op dit moment is de kleedkamer zijn podium en vormen de aanwezigen z'n publiek.

Bij The Spades stond hij geregeld op het podium met een zonnebril op. Stond hij daar ongrijpbaar en onbereikbaar te zijn, met een boksbeugel rond zijn knokkels met de naam van zijn band erop, en een grote gesp op zijn riem met zijn eigen naam.

Ze hadden op Lowlands gestaan. Iemand had daar een volle plastic beker met bier naar hem gegooid. Hij zag het aankomen, strekte zijn arm, greep het uit de lucht, nam er een slok uit en kopte het terug het publiek in. Alle medewerkers en de directie van de platenmaatschappij stonden in de tent en zagen dat. Ze waren trots. Zag ze daar staan, hún band, wat een attitude.

Zo was het ooit ook begonnen. Die platenmaatschappij had video-opnamen gezien van hun optreden op Dynamo en kon niet geloven dat dit beelden van een Nederlandse band waren. Ze hadden een Amerikaan op bezoek toen de video van de show op stond, en die vatte samen wat ze dachten: 'This looks evil.'

Ze nodigden Denvis en Richard uit op kantoor. Denvis bluftte en snoefde daar verder.

De stagiair van de platenmaatschappij die zo onder de indruk van hen was en stamelde dat hij hun demo goed vond, kreeg geen bedankje, maar een verhoor.

O ja? Welk nummer vooral? Nou? En waarom dan?

The Spades mochten een plaat opnemen en kregen daar tienduizend gulden voor. De plaat was snel af. Achteraf gezien met behoorlijk wat fouten, vooral in het tempo, want van de zenuwen gingen ze iets te snel spelen. Maar dat zagen enthousiastelingen vervolgens juist als het handelsmerk van de band.

Het bevestigde wat Denvis al wist: altijd doen of je het zo hebt bedoeld.

Denvis bedacht de hoes van de plaat, met de vijf negers erop. Hij kende een jongen die zelf dacht dat hij een neger was, zo praatte hij ook, met al dat ge-yo. Die jongen kende een paar negers en die had hij gevraagd met hem bij Richard langs te gaan voor een stoere foto. Dat deden ze, maar eenmaal bij Richard wilden ze horen wat voor muziek die band dan maakte. Richard zette de opnamen van The Spades op. Toen liepen ze weg.

Uiteindelijk ging Richard met een paar briefjes van honderd bij een sportschool naar binnen, en ronselde daar vijf nieuwe.

De platenmaatschappij vond het geweldig; weinig bands kregen zo veel publiciteit. Wel waarschuwden ze Denvis en Richard dat ze niet moesten gaan denken dat ze meteen een grote band waren. Die waarschuwing leek niet helemaal tot ze door te dringen.

Halverwege de Lowlands-show hadden Richard en Denvis een ruzie op het podium gepland. Het zag er heel echt uit, ook omdat ze elkaar in hun enthousiasme harder schopten dan ze vooraf hadden afgesproken.

Net zo echt oogde de coke die ze snoven tijdens een reportage die Omroep Brabant maakte tijdens Paaspop. Denvis werd voor die reportage geïnterviewd, maar ging tijdens de opnamen bellen. Rockster immers, dus schijt aan de pers. Daarna kwamen beelden van het optreden langs. Denvis' handen zaten vol bloed. De interviewer vroeg ernaar.

Akkefietje met de pers, zei Denvis, is inmiddels opgelost.

Het bloed was nep. De coke ook, zeiden ze later, maar niemand die dat geloofde.

Het was een van de stunts waar ze spijt van kregen. Vooral Denvis zelf, wiens naar Omroep Brabant kijkende familie woest was.

Het optreden op Lowlands was het gesprek van de dag. De muziek klonk bij vlagen als een brij, maar het ging niet alleen om hoe het klonk, het ging ook om hoe uit het eruitzag.

Gevaarlijk.

Ook na Noorderslag had iedereen het over ze.

Het waren van die optredens waarbij er een belofte in de lucht hing, de belofte dat het ging gebeuren, dat de zalen zouden vollopen en het vanaf hier als vanzelf zou gaan.

Maar dan was er een bandwisseling, of een verkeerd geplande pauze, en gebeurde het niet, en zeker niet als vanzelf. Niets ging bij deze band als vanzelf.

Speelden ze met Koninginnedag in Paradiso en wist Denvis de platenmaatschappij ervan te overtuigen dat ze negen camera's moesten huren voor een live-dvd, kwam er niemand opdagen. Denvis kon twee dagen later, toen hij was bijgekomen van het wegsnuiven van zijn teleurstelling, iedereen, ook zichzelf, uitleggen hoe het kon gebeuren dat er niemand was, dat het net die dag heel warm was geweest en dat mensen entree moesten betalen terwijl buiten allerlei bands voor niks speelden, en dat de posters niet goed waren. Het suste zijn gemoed, maar ondertussen lag er ergens een peperdure opname op de plank van een chagrijnige band voor een lege zaal.

Ze oogden als gajes. Denvis, met zijn grote lijf vol bravoure. Richard, die kon kijken alsof hij het seriemoorden even had onderbroken om op te treden. Gitarist Berry, met zijn lijf vol tattoos en zijn arsenaal aan moves, poses en houdinkjes. En dan hadden ze nog gitarist Tony Slug, met name in zuidelijke landen een halve legende in undergroundkringen vanwege zijn verleden in roemruchte punkbands als B.G.K. en The Nitwitz, en in zijn eigen hoofd eveneens een legende, maar dan geen halve.

Dat was de frontlinie van de band; ze waren eigenlijk vier frontmannen op een rij. Veel hadden ze niet met elkaar gemeen. Wanneer mensen daarnaar vroegen, naar die op het podium soms zichtbare onderlinge irritatie, dan zeiden ze dat in een band spelen niet hoeft te betekenen dat je ook iedere avond samen boven een pot kaasfondue hangt. En ze wisten het zelf ook: die wrevel maakte de band niet beter, maar zeker wel spannender.

Dat was ook maar tijdelijk, want de band bleef van bezetting wisselen. Richard klaagde tegen Denvis dat hij daar gek van werd, weer iemand inwerken die voor hij goed en wel zijn draai had gevonden alweer vertrok. Denvis vond dat Richard deed alsof het aan hem lag. Richard vond dat dat ook zo was. Denvis vond van niet.

Over sommige ontslagen waren ze het gelukkig wel eens. Een drummer die niet kwam repeteren vanwege een kaarttoernooi in zijn stamkroeg; daar gingen ze de wereld niet mee veroveren. Zoveel repeteerden ze toch al niet. Maar als ze het deden, dan ook zo hard dat ze allemaal drie dagen later nog een piep in hun oren hadden.

'Maar bestaan The Spades nou nog, of niet?' vraagt iemand in een hoek van de kleedkamer.

Denvis zegt dat ze uit elkaar zijn. Dat het mooi was geweest. *It's better to burn out than to fade away*, weet je wel. Ze hadden een afscheidstour gedaan, een afscheid in stijl. Nu gaat hij nieuwe wegen verkennen, akoestisch optreden. Over twee maanden zullen ze het zien.

De aanwezigen knikken bevestigend. Alleen die vent met het witte hemd kijkt sceptisch. Die zegt: 'Die andere band uit jouw stad, Peter Pan Speedrock, die doen het nog steeds goed, toch?'

Denvis knikt. Jazeker.

De man vraagt: 'Heb je je wel eens afgevraagd waarom zij zoveel groter zijn geworden?'

Zoveel groter. Denvis vertelt de man hoeveel platen The Spades hebben verkocht. Duizenden, als je alles optelt, ook in het buitenland.

Hij had dit verhaal ooit bij zijn eigen platenmaatschappij gehouden, letterlijk zo, toen hij een nieuw contract wilde. Daar hadden ze gezegd dat ze ook heel veel platen niét hadden verkocht. Toen hij daaroverheen praatte, had de directeur gevraagd of hij even mee wilde lopen. Samen liepen ze naar het magazijn. De directeur ging voor een kast staan en zei dat ze verder zouden praten als die leeg was. Het was de voorraadkast met Spadesplaten.

Denvis zegt tegen de man dat je in Nederland nou eenmaal niet zo snel groot wordt als je bij het eerste nummer van je show al twee bezoekers in hun gezicht spuugt, en dat zalen je ook niet zo snel opnieuw boeken als aan het eind van de avond een van de bandleden er met de drank vandoor gaat, een ander op de wc zit te snuiven en de derde de vriendin van de boeker probeert te versieren.

Bij Doornroosje in Nijmegen mochten ze er niet meer in, omdat ze het personeel met de dood hadden bedreigd. Richard en Denvis vonden dat een wat emotionele samenvatting van tegen een medewerker zeggen: 'Hé gij, ga 's bier halen, anders...' en vervolgens zo gevaarlijk mogelijk kijken. De avond zelf leek er niets aan de hand, maar een medewerkersvergadering later bleken The Spades op een zwarte lijst te zijn beland die waarschijnlijk speciaal voor deze gelegenheid was aangemaakt.

In Heiloo laadden de bandleden per ongeluk het mengpaneel van de zaal mee in. Het was waarschijnlijk niet eens op een beschuldiging van diefstal uitgelopen als iemand het ding gewoon had teruggebracht, maar ieder bandlid bleek te lui om weer helemaal naar Heiloo te rijden, dus stond het maanden later nog steeds in een hoekje van de oefenruimte. En in een zaal vuurwerk afsteken vanaf het podium, net nadat in de Verenigde Staten bij een optreden van Great White honderd mensen waren omgekomen bij een brand: er waren heel wat telefoontjes nodig om dat weer recht te praten.

En anders wist Richard wel een vrijwilliger in tranen te krijgen door zich gewoon vrijblijvend, maar wel hardop af te vragen of je geen loser was wanneer je op je 35-ste nog steeds onbetaald glazen ophaalde in een jongerencentrum.

'In Nederland,' doceert Denvis, 'word je als band nou eenmaal geacht in de kleedkamer thee te drinken, met je pink omhoog.'

En altijd gebeurde er wel iets. Voor de show, tijdens de show, na de show, onderling, of met het publiek. 'Een van de eerste keren dat wij hier in Zürich speelden,' vertelt Denvis de aanwezigen, 'kregen we ruzie met een paar lui die de danceparty na de show bezochten en niet alleen op het podium dansten, maar ook op onze spullen. Richard duwde er een weg, die duwde terug, en toen wilde Richard hem aan zijn hippe haren het podium af trekken, maar bleek hij een pruik te dragen. Stond Richard daar met een pruik in zijn hand die vent uit te lachen.'

Daar moet iedereen om lachen.

Na die show hadden Denvis en Richard slaande ruzie gekregen over de vraag wiens schuld het was dat al hun apparatuur nog onbeschermd op het podium stond terwijl dat dancevolk eroverheen danste. In de bus naar het volgende optreden zeiden ze niks tegen elkaar.

Ze maakten het pas goed op het podium, toen Denvis zijn lul uit zijn broek haalde en Richard er met de kop van zijn basgitaar tegenaan sloeg.

'Grosser machen!,' schreeuwde Denvis in de microfoon, terwijl de band doorspeelde.

Richard sloeg opnieuw met zijn bas tegen Denvis' lul.

Die krijste: 'Nein! Grosser machen! Schneller!'

Richard nam Denvis' lul in zijn hand en trok hem af. De rest van de band speelde verder, en Denvis zong in het ritme van het nummer: 'Grosser machen! Grosser machen!'

De aanwezigen waren veel gewend, maar dit niet. Een zaal vol ervaren punkers en rockers: helemaal ontdaan.

In de kleedkamer huilden Richard en Denvis na afloop van het lachen. Daarmee was de ruzie bijgelegd zonder dat er verder nog over gepraat hoefde te worden.

Concerten in het buitenland werden steevast gevolgd door boze telefoontjes. Bij het boekingskantoor zaten ze er op maandagochtend al klaar voor: The Spades hadden dit weekend gespeeld, dus ergens tussen negen en tien zou de telefoon gaan en een zaaleigenaar, boeker of promotor geld of spullen terugvragen, excuses eisen of een veto uitspreken.

Of het busbedrijf belde, dat de chauffeur nooit meer voor deze band wilde werken. Terwijl hij sliep een masker over zijn gezicht trekken en hem vervolgens met massaal gegil en gekrijs wekken zodat hij in paniek recht opstond, weg wilde rennen en daarbij zijn hoofd zo hard tegen het bagagerek stootte dat hij knock-out ging; dat was niet wat de chauffeur onder humor verstond.

En ze hadden al zo'n slechte humeur op het boekingskantoor, omdat The Spades de op het duurste papier, in een oplage van enkele duizenden gedrukte tourposters hadden afgekeurd omdat ze het lettertype Times Roman 'supersuf' vonden.

Veel mensen dachten dat het was afgelopen met de band toen een ruzie tussen Tony en Denvis over een fles whisky in de pers kwam. Volgens Denvis jatte Tony geregeld de whiskyfles uit de kleedkamer. Die stopte hij in zijn jas, of in zijn gitaarkoffer. Had hij weer een cadeau als hij naar een verjaardag moest. Een ruzie over een van die flessen liep uit de hand toen Denvis Tony's bril afpakte en pas wilde teruggeven als Tony de fles teruggaf. Dat werd bijna een vechtpartij, waarna Tony uit de band stopte. Dat nieuws haalde enkele muziekbladen.

Toen Denvis het teruglas, vond hij het zelf ook een wat kinderachtige anekdote.

Maar vooral vond hij het belachelijk dat mensen concludeerden dat The Spades niet meer bestonden omdat Tony er niet meer in zat.

Dat was precies het probleem, zei Richard: Denvis vond iedereen vervangbaar.

Dat vond Denvis onzin. The Spades met een andere zanger bijvoorbeeld, dat was ondenkbaar.

21

Als hij zijn laatste zin heeft uitgesproken, die over Richard met de pruik in zijn hand, hoort hij iemand klappen. Hard, met te lange pauzes tussen elke handklap. Het is de klap van het namaakapplaus, van niet de waardering maar de spot.

'Bravo! Bravo!' Denvis kijkt naar de bank. Daar zit de man met het witte hemd. De bovenste knoopjes staan open. Er komt borsthaar bovenuit. Zijn gezicht is pafferig en rood, zijn blonde haren zijn naar achteren gekamd, maar vallen naar voren, zodat hij ze steeds met zijn hand moet wegstrijken. Het is zo'n kapsel als een sigaret: de lichaamshouding krijg je erbij. Hij glimt en oogt een beetje vettig, van het zweet. En de drank, duidelijk van te veel drank. Zijn stem is er een die door geroezemoes heen breekt, vanwege het volume en de afwijkende frequentie. Hij klapt opnieuw in zijn handen. 'Ook dat is een kunst: een flop verkopen als een succes. Applaus, dames en heren, voor deze gedroomde marktkoopman van zijn eigen bestaan.'

Hij geeft Denvis een onbehaaglijk gevoel. Hij zeikt hem

af, zoveel meent Denvis wel te begrijpen, maar hij snapt niet waarom, en zijn taalgebruik en lichaamstaal zijn te cryptisch om grip op te krijgen.

'Wat bedoel je, man?,' zegt Denvis zo boos mogelijk, terwijl hij een stap naar voren zet, maar hij heeft meteen spijt. Te onmachtig, klinkt het. Bovendien is de man zichtbaar niet onder de indruk van Denvis' fysiek. Hij is er zo een die niet terugslaat, maar zich al heeft afgevraagd of hij de klappen die hij gaat opvangen vindt opwegen tegen de lol die er aan vooraf gaat, en die vraag met een enthousiast 'Ja!' heeft beantwoord.

Dom ook, denkt Denvis, nu is de man weer aan zet.

Hij kijkt om zich heen. De gehoopte terugkeer van het geroezemoes heeft zich niet voltrokken; het is stil. Iedereen wacht tot iemand antwoord geeft. En dat doet de man, gretig en in de zichtbare wetenschap van een publiek dat luistert.

'Wat ik bedoel is dat de enige conclusie uit die speech van zojuist, die zowel in lengte, bombast als zelfverheerlijking trouwens deed denken aan Fidel Castro in de dagen dat die zijn eigen reet nog kon afvegen, dat de enige conclusie van die speech kan zijn dat je kunt terugblikken op een volkomen mislukte carrière. Maar zelf blijkbaar zo niet ziet. Of wel, maar dan verhuld. In beide gevallen vind ik het fascinerend, trouwens.'

Denvis zegt: 'En welke successen heb jij zoal op je naam?'

'We hebben het niet over mij, we hebben het over jou.'

'O, ja. Zou ik ook zeggen.'

'Dat weet ik. Dat weten we allemaal, dat Denvis graag over Denvis praat. Daar hebben we het afgelopen uur allemaal van mogen genieten.'

'En daarom val je mij nu aan?'

'Nee, hoor. Ik val je niet aan. Dat voel jij misschien zo, maar dat is dan jouw onzekerheid. Je fascineert mij. En ik voel een verwantschap.'

'Die mis ik kennelijk.'

'Dan leg ik het wel even uit. Bij mij is het ook allemaal niet geworden wat het had moeten zijn. Wat ik in mijn hoofd had vroeger, toen ik nog de leeftijd had om mezelf illusies toe te staan. Alleen lukt het mij maar niet om daar nu nog een draai aan te geven waardoor het allemaal toch de zweem van succes krijgt. Jij kunt dat wel. Dat vind ik knap. Zo knap als jezelf voor de gek houden maar kan zijn.'

'What the fuck? Gast, ik heb op de grootste festivals gestaan, met de beste bands gespeeld, met...'

'Met welke band kom je over twee maanden hierheen?'

'Wat?'

'Met welke band kom je over twee maanden hier terug?'

'Hoezo? Ik kom solo.'

'Waarom?'

'Omdat het kan, fucker. Omdat ik ook solo kan optreden.'

'Ongetwijfeld. En omdat het moet. Want je band bestaat niet meer, toch?'

Denvis zet nog een stap naar voren en reikt naar het witte hemd. Twee mensen houden hem tegen, terwijl ze 'Ho!' roepen.

De man in het witte hemd lacht. 'Wil je me slaan? Echt? Wil je me slaan, omdat ik je een paar vragen stel?'

Denvis wijst naar hem. 'Pas op, maat. Ik hoef me door niemand een mislukking te laten noemen.'

'Je zou er ook om kunnen lachen. Als het niet klopte. Waarom is je band gestopt?'

'Omdat het mooi geweest was, kerel. Daarom.'

'Of omdat het nooit mooi was, en 't ook niet ging worden? Niemand stopt met een band als die goed loopt. Bands stoppen maar om één reden: gebrek aan succes. Bij succes gaan ze door, al kunnen de bandleden elkaar wel schieten.'

'Aan alles komt een einde.'

'Aan succes niet snel. Aan flops héél snel.'

'Fijn voor je dat je zulke belangwekkende theorieën over bands hebt. Ik heb meer in mijn leven dan alleen in een band zingen.'

'Je filmcarrière? Hoeveel films heb je tot nu toe gemaakt? Heeft Hollywood al gebeld? Of Bollywood, desnoods?'

'Flikker op, man. Ik heb een superleven. Jij zit hier dronken op een bank tussen mensen die leven van wat ze graag doen, muziek maken.'

'Naakt uit een taart springen, bedoel je? Denk je dat Mike Ness dat ooit zou doen, of James Hetfield? Ik ben dronken, ja. Jij ook. Maar ik ben het omdat ik me goed voel. En jij?'

Denvis kijkt om zich heen, zoekt oogcontact met de mensen rondom hem. Die kijken gegeneerd. Het is een blik die hij kent. De blik van plaatsvervangende schaamte, en van medelijden. Hij ziet een van de organisatoren en vraagt hem: 'Wie is deze gast? Wie heeft hem uitgenodigd?

De organisator zegt: 'Dit is 'm. Fröhlich.'

Denvis kijkt hem vragend aan. De naam zegt hem niks.

'Stephan Fröhlich. De popjournalist. Je persdag, weet je nog?'

Denvis draait zich weer terug. 'Jij bent journalist?'

Hij knikt. 'Yep. Waakhond der democratie, hoeder van de staat.'

'En jij dacht dat je nu nog een interview met mij kon krijgen?'

'Welnee, joh. Dat hoeft ook niet. Ik heb mijn verhaal wel binnen.'

Denvis kijkt hem alleen maar aan. Hij denkt zoveel dat hij niet meer kan kiezen.

De man gaat door: 'Maar maak je geen zorgen. Ik werk voor een linkse krant. Dus je hebt de sympathie van de lezers. Die houden niet van winnaars.'

22

Een van de organisatoren tikt op zijn schouder. En nog een keer, harder, tot hij reageert.

'Denvis! Denvis! Sorry dat ik stoor, maar ben je klaar? Je moet bijna op.'

Hij loopt achter hem aan, de trap af. Het geluid van de band dreunt door in het trappenhuis. Ze spelen 'Paradise City' van Guns 'n Roses.

Ze lopen langs het toilet en de werkkamer, richting de deur naar de zaal, vlak bij het podium. Voor de deur staat de taart.

Denvis opent de deur van de werkkamer en gaat naar binnen. Hij trekt zijn zwarte MC5-shirt uit, vervolgens zijn schoenen en sokken. Ze stinken. Dan knoopt hij zijn spijkerbroek los en trekt zijn boxershort over zijn kont naar beneden. Pas nu, met zijn ogen gericht op zijn lul, herinnert hij zich wat dadelijk zijn act is, en wat daarvoor nodig is. Waar het ook door komt – dat gesprek zojuist, de pilletjes, de coke, de spanning, alles samen – zijn hart bonkt niet, het beukt.

Naar de wc en rukken als een dolle, besluit hij.

Hij wil de kamer uit lopen, en dan staat ze opeens voor hem. Het vriendinnetje van de dealer. Het pornomodel. Ze kijkt hem aan als een meisje dat in een pornofilm heeft gezien hoe je verleidelijk moet kijken, en dat nu naspeelt. Ze trekt haar witte T-shirt omhoog. Hij ziet haar buik. Meer dan plat; hol. Ze trekt het shirt over haar hoofd en gooit het op de grond. Haar sleutelbeenderen steken uit. Ze draagt geen bh. Die heeft ze ook niet nodig; haar borsten zijn klein, alsof ze er een paar maanden geleden nog niet waren. Haar tepels zijn naar verhouding groot, en ze zijn keihard. Ze kijkt Denvis aan, likt over haar lippen, beweegt haar beide wijsvingers naar haar mond, steekt haar tong uit, laat haar vingers over haar tong glijden, en beweegt ze dan terug naar haar tepels. Ze strijkt er langs. Denvis strekt zijn handen uit naar haar mond. Ze neemt zijn vingers in haar mond, zuigt er even aan en maakt dan een spuugbeweging, zodat zijn vingers nat zijn. Hij haalt ze uit haar mond, beweegt ze naar haar borsten en herhaalt wat ze zojuist zelf deed. Terwijl hij langs haar tepels strijkt, opent ze haar mond. Ze blijft hem aankijken. Denvis kijkt terug, en ziet dan achter haar drie mensen in de gang staan. Ze lijken geamuseerd noch opgewonden, ze ogen vooral gespannen. Het is bijna zover, dat is duidelijk. Hij staart omlaag, naar zijn lul, en concludeert dat hij er klaar voor is. Hij draait zijn hoofd terug in haar richting, zegt 'You're dismissed' en loopt in de richting van de taart.

Een technicus staat klaar met een draadloze microfoon. Hij wijst op het aan/uit-knopje aan de onderkant. Dat-ie nog uit staat. Hij kijkt met een blik die Denvis duidelijk moet maken dat hij heus wel weet dat Denvis weet hoe zo'n microfoon werkt, en dat Denvis hem moet aanzetten.

Ze openen het deksel. Wanneer dat een paar centimeter van de rand af is, springt het peertje aan de binnenkant aan. Denvis stapt met zijn linkerbeen over de rand, dan zijn rechter. Hij staat in de taart en gaat door zijn knieën. 'Even proberen,' zegt de technicus, en hij laat het deksel rustig zakken. Het valt dicht. Het past. Hij opent het weer. 'En?'

'Ja, gaat wel,' zegt Denvis. 'Als het nou niet had gepast?'

'Het past altijd,' zegt de technicus grijnzend. 'Kwestie van doorduwen.'

Vanuit de zaal klinkt 'Enter Sandman' van Metallica. 'Na dit nummer ben jij. Zeg maar wanneer je erin wil.'

'Doe maar dicht,' zegt Denvis. De technicus geeft hem de microfoon aan. Hij hurkt en het deksel sluit.

Opgevouwen zit hij in de taart. De draadloze microfoon in zijn rechterhand, zijn lul heel even in zijn linker – laatste controle. Keihard. Zijn lul op viagra; daar kun je een jas aan ophangen.

Hij voelt de taart schokkerig bewegen. Dan hoort hij iemand op het deksel slaan, tussen de kaarsjes in. '*Good luck!*,' wordt er geroepen. De taart staat even stil, en dan hoort hij een orkaan van geluid. Hij hoort mensen joelen, de band spelen, en iemand zingen 'Take my hand, we're off to never-never lahahahahand.' Dan hoort hij applaus. Hij voelt de taart rijden, heel soepel nu, een heuveltje op. Het geluid zwelt aan, het geluid van de bas. Hij klikt het knopje onder de microfoon aan.

'*Who-ho-ho-I got erection!*' zingt de zaal, en opnieuw, en opnieuw, harder en harder, een koor van geilneven. De drummer valt in, ondersteunt de bas, het publiek brult nu.

'ERECTION!'

De rest van de band valt in.

Nu!

Hij zet zijn hoofd tegen het deksel en zet kracht met zijn bovenbenen. Het deksel opent, het peertje schiet aan, en Denvis kijkt tegen een kolkende zaal aan. Ze gillen en joelen.

Hij zet in.

'Everytime I walk down the street – erection!
When I see a woman that I'd like to beat – erection!
When I think of blood I think of love – erection!
When I think of blood I think of love – erection!'

En dan springt hij omhoog. In volle glorie staat hij voor vijfhonderd rockers. Ze kijken allemaal naar zijn lul. Hij voelt zich Ron Jeremy en Iggy Pop tegelijk.

De zaal is niet zo donker als normaal, omdat veel bezoekers brandende sterretjes omhooghouden.

Eerst denkt hij dat hij het verkeerd ziet. Maar als hij bij de tweede zin van het tweede couplet opnieuw iets lichtgevends door de lucht ziet vliegen richting podium, weet hij het zeker: hij wordt bekogeld. Bekogeld door sterretjes.

Achter zich hoort hij geschreeuw, en opeens vallen de drums weg. Hij kijkt om en ziet dat de drummer zijn jurk probeert uit te gooien en er slaande bewegingen naar maakt. De jurk staat in brand. Waarom weet hij niet, maar

Denvis blijft doorzingen, net zoals de twee gitaristen doorspelen. De bassist is inmiddels gestopt. 'I got Erection' a capella, maar dan met een gitaar.

Het applaus is het hardste dat hij ooit kreeg voor een half nummer. Hij loopt naar de werkkamer, waar hij zijn kleren bij elkaar zoekt. Een van de organisatoren klopt op de deur. 'Dat zal niemand meer vergeten! Om welke reden dan ook.' En hij buldert van het lachen. Denvis schiet ook in de lach. 'Wat gebeurde daar ineens, man? En waar kwamen al die sterretjes vandaan?'

'Die hadden wij uitgedeeld. Je had in de zaal moeten staan. Alle wijven werden helemaal gek toen jij omhoogkwam.'

'Waarom gooiden ze dan?'

'Zij gooiden niet, hoor. Maar sommige kerels trokken het kennelijk niet. Die begonnen te joelen en homo te roepen. De eerste die gooide, mikte zelfs op je lul. Een aanslag op je lul, hoe vind je dat?'

Denvis schatert. En vraagt: 'We hebben het nummer wel verkloot. En we hebben het maar half gespeeld. Wanneer wist je dat het afgelopen was?'

'Toen het onderwerp ervan ermee ophield.'

Hij slaat Denvis op zijn schouders. 'Kom, laten we feesten.'

De band speelt nog uren door.

Zijn glorie duurt de rest van de avond. Mensen slaan hem op zijn schouders. Lilly loopt langs en kijkt hem lachend aan. De dealer geeft hem een knipoog en steekt tegelijk zijn duim omhoog.

Ver na middernacht staat hij in de zaal met een fles bier. Er is even niemand om mee te praten. Hij wordt er ongemakkelijk van. Het is alsof hij zijn gemoed voelt kantelen, de verkeerde kant op. Hij wil het voor zijn en loopt naar de kleedkamer. Daar zitten vast nog mensen die hij kent. Hij loopt richting de deur. Daar leunt een kleine man tegenaan. Die loert naar hem, nadrukkelijker bij iedere stap die Denvis dichterbij komt. Denvis kijkt terug en trekt zijn wenkbrauwen op. Het mannetje blijft tegen de deur hangen en zwaait zijn wijsvinger op en neer.

Hij is toch, is hij niet, ja toch, jawel hè, zegt hij met een Zwitsers accent: 'You're the penisguy, right?' En hij lacht.

Het is een lach die alles kan betekenen, maar vooral lijkt op een uitlach-lach.

Denvis brengt zijn hoofd naar voren, spant zijn rug en kijkt het mannetje recht aan, maar dan van boven. 'NO,' buldert hij, en hij ruikt zijn eigen bieradem terug via het gezicht van de Zwitser. Hij pakt de deurklink en net voor hij de deur achter zich dichtgooit, zegt hij terwijl hij naar zichzelf wijst. '*I'm the singer!*'

Dat ze dat maar weten, verdomme.

Deze roman werd mede mogelijk gemaakt door een stipendium van Buma Cultuur, verbonden aan het winnen van de Pop Pers Prijs in 2006.

Deze roman werd tevens mogelijk gemaakt door (want grotendeels geschreven in) de cafés Springhaver, het Hart en Marktzicht in Utrecht, hotel DuCasque in Maastricht, café Kuchen Rausch in Berlijn en vrijwel alle Starbucks- en The Coffee Bean-filialen aan Sunset Boulevard in LA (Thanks a lot Zoli, my brother).

Bedankt Britt, voor alles, ondanks alles.

Denvis, een rockroman werd in de zomer van 2009,
in opdracht van Uitgeverij Thomas Rap te Amsterdam,
gedrukt bij Bariet te Ruinen. Het omslag werd ontworpen
door Dog and Pony, de typografie van het binnenwerk
werd verzorgd door CeevanWee, Amsterdam. Het auteurs-
portret is gemaakt door Mark Kohn.

Eerste druk, augustus 2009
Tweede druk, september 2009
Derde druk, september 2009

ISBN 978 90 6005 762 9
NUR 301